Texto de acordo com as normas do novo acordo ortográfico da língua portuguesa (Decreto Legislativo Nº54 de 1995).

Editora – Catia Mourão
Capa – Décio Gomes
Diagramação – Catia Mourão
Revisão – Catia Mourão e Mariane Ducas

CIP-BRASIL. CATALOGAÇÃO NA PUBLICAÇÃO
SINDICATO NACIONAL DOS EDITORES DE LIVROS, RJ

D883s

Ducas, Mariane
Selada com sangue / Mariane Ducas. - 1. ed. - Rio de Janeiro : Ler, 2019.
152 p. ; 21 cm.

ISBN 978-65-5055-012-7

1. Ficção brasileira. I. Título.

19-60694 CDD: 869.3
CDU: 82-3(81)

Vanessa Mafra Xavier Salgado - Bibliotecária - CRB-7/6644
17/10/2019 23/10/2019

Foi feito o depósito legal.
Direitos de edição:

Ler
EDITORIAL

Selada *com* SANGUE

MARIANE DUCAS

1ª edição
Rio de Janeiro — Brasil

Dedico este livro à pessoa corresponsável por eu tê-lo escrito, Wiliam Pokomaier. Obrigada, primo querido, por ter me dado o pontapé inicial para escrever esta história. Você sabe o bem que me fez.

SUMÁRIO

PRÓLOGO

Eu saí do trabalho tarde, era quase uma da manhã, por isso já não se viam pessoas na rua da *cidade luz*[1]. Havia descido do metrô fazia alguns minutos; como eu morava no centro, precisava andar pouquíssimas quadras para chegar em casa.

Enquanto caminhava por uma rua estreita, percebi que estava sendo seguida. Os meus batimentos aceleraram demasiadamente e eu corri sem olhar para trás. Não precisava ver... só era preciso correr. Todos os dias eu saia logo depois da meia-noite. Quem quer que fosse sabia o horário que eu chegava, pois nunca havia ninguém na rua; exceto talvez pelos gatos que caminhavam ao meu lado todos os dias. Onde eles estão?! Ah! Meu Deus! Tadinhos!

Corri como se fosse a última coisa que eu faria. O pior disso tudo era que eu acreditava que seria! Ousei dar uma olhadinha para trás e senti o alívio transpassando por meu corpo. Eu havia despistado a pessoa. Não acreditei que conseguiria. Parei um segundo para recuperar o folego e, ele me pega.

---

[1] Paris é chamada de Cidade Luz, pois durante séculos as mentes mais iluminadas nas diversas vertentes das artes eram atraídas para Paris, como os insetos são atraídos pelas lâmpadas. Com isso, Paris se tornou o centro das artes, do bom gosto e do refinamento.

Faltava pouco para eu atravessar o beco e chegar à avenida. Mil formas malucas de escapar surgiram na minha mente. Eu fiquei desesperada quando o vi.

— Você?! — perguntei, incrédula.

— Então, nós nos encontramos de novo, Anne Lockhart. Parece desapontada. Quem você esperava que fosse? O papai Noel?! Posso até ser ele. Uma pena que não seja para presenteá-la. Não será você que ganhará o presente! — disse com ironia.

— Eu não esperava encontrar ninguém uma hora dessas.

— Ainda bem que foi você que disse isso. Preciso perguntar: o que uma moça tão jovem faz uma hora dessas na rua?

— Uma mulher que trabalha com eficiência e faz horas extras para ajudar o patrão. — Eu precisava distraí-lo.

— Entendo — disse —, mas você não se comportou bem esse ano, mocinha! — o matador de aluguel enfatizou.

— Como assim? — perguntas ajudariam a tirar o seu foco de mim, eu acho. — Não estou entendendo. — Eu queria fugir. — Já acertei a dívida com o Carter.

— Eu sei! Pense um pouquinho melhor... isso é muito maior. Você irritou muitas pessoas Anne. Você fez muitos inimigos no decorrer dessa sua vida miserável.

— Sabe que eu não tenho medo de você, né? — E como eu tinha medo dele, mas não poderia demonstrar fraqueza. Eu sei de tudo que ele fez e tudo o que é capaz de fazer!

— Ah! Você deveria ter e muito. Eu não seria tão burra se fosse você, Anne — disse.

— Lamento acabar com a sua brincadeira. Mas não há motivos para eu sentir medo.

— Acho que você está enganada. A brincadeira ainda nem começou.

Eu segurava as lágrimas. Olhava para todos os lados em busca de uma ajuda ou de algo para derrubar quando começasse a correr. Contudo, não havia ninguém na rua numa hora daquelas; exceto apenas por um latão no meio do beco, eu precisaria correr muito para alcançá-lo e sem dúvidas ele me pegaria antes que eu sequer sonhasse em derrubá-lo.

— Anne — ele chamou —, prometo ser breve! — falou após uma gargalhada estridente.

Eu comecei a correr. Não havia outra solução e eu não tinha tempo. Era correr ou morrer. Eu não mediria forças para salvar a minha vida. Não facilitaria para ele. Eu não tinha mais escolhas.

— Corre mesmo Anne! — disse com uma risada cruel. — Não tem muito tempo.

Atravessei o beco e fui em direção do latão, e ao chegar perto, empurrei-o, no momento em que ele me alcançava.

1
Sophia Courtney

Antes de ir para o trabalho estava no meu café preferido na Rua *Boulevard des Capucines*. Era aconchegante, lindo e faziam um café delicioso! O melhor da cidade.

Enquanto bebericava o meu café e lia Alice no País das maravilhas — Lewis Carroll, meu clássico preferido —, meu celular tocou.

— Bom dia, Pierre — cumprimentei meu parceiro — sim, já estou indo. Acabou de aparecer na TV. Assim que terminar meu café vou direto para aí.

— Certo, Sophia. Isso aqui está cheio de jornalistas. A imprensa toda está aqui em volta como urubus em busca de carniça. Estou farto deles. Agem como se isso fosse algo espetacular que merecesse plateia — finalizou, irado.

Após tantos anos de polícia, Pierre já não aguentava mais toda aquela gente que sempre vinham para ver quem tinha morrido. Principalmente quando nos viam, já que apenas trabalhávamos em casos de assassinatos. Éramos investigadores de polícia.

Depois de alguns minutos acalmando Pierre para que ele não esganasse aquela gente, chamei a Susan — garçonete.

— Olá, Susan. Pode me trazer a conta, por favor?

— É claro, Sophia! — respondeu e foi até o balcão.

Susan era baixinha e rechonchuda. Tinha os cabelos pretos presos em um coque perfeito. O avental que usava não favorecia o seu quadril, mas era uma mulher muito simpática.

Ela voltou imediatamente e me fez voltar à realidade.

— A coisa está ficando fora de controle — disse com um tremelico na voz.

— Como assim Susan? — questionei.

— Você ainda não sabe? — Ela franziu a testa como se eu devesse saber e apontou para a TV, que voltava a apresentar o caso da mulher.

— Ah! Sim, eu sei, Susan. Estou indo para lá agora mesmo.

— É claro que está. Desculpe a intromissão.

— Tudo bem, querida. É comum ter medo. Todos têm. — Ou deveriam ter, pensei.

Despeço-me de Susan, pego a bolsa e saio andando para o local do crime. Não era longe de onde eu estava, acho que era por isso que Susan estava tão assustada. Às vezes, ela saia tarde da noite do café também, imagino que pudesse ter pensado que pudesse ser ela, e não a mulher de infeliz sorte. Mas isso não poderia acontecer com ela. É difícil coisas ruins acontecerem a pessoas boas. Não é impossível, mas difícil. Eu caminhava despreocupada para o beco. Parecia que a tinham desovado num beco ou havia sido feito lá mesmo. Eu só saberia quando visse a cena.

Andei pouco mais de dois quarteirões quando cheguei. O local já estava todo cercado por aquela fita amarela. Avistei Pierre e o perito de longe. Passei no meio de toda aquela gente — agora entendo por que Pierre estava tão irritado. Tinha muita gente! Mais do que nos outros. Moradores, jornalistas e fotógrafos faziam parte daquela cena trágica. Fui passando no meio tentando evitar ser reconhecida antes de entrar na cena.

Não queria ser bombardeada de perguntas antes mesmo de ver o corpo.

Atravessei sem muita dificuldade e cheguei até a faixa. Mostrei o distintivo ao novo guarda e entrei. Ouvi murmúrios parecidos com *"como não a vimos passar?"*, de um jornalista que estava no nosso pé há um bom tempo.

— O que temos aqui? — perguntei atrás de Pierre.

— Ó! Ela veio. Que demora, Sophia — respondeu, mal-humorado.

— Desculpe, eu vim o mais rápido que eu pude. Mas chega de conversa fiada. Deixe-me ver o corpo. — Os guardas saíram da frente para que eu pudesse ser contemplada com aquela cena.

— Um morador de rua encontrou a moça aqui pela manhã. Saiu gritando *"cadáver"* e algumas pessoas saíram por aqui, de onde ouviram os gritos e acharam o corpo dela. Uma mulher desmaiou, outra chamou a ambulância e ninguém nos chamou — Pierre falou, desapontado. — O pessoal da ambulância, quando viu o corpo, foi que nos informou.

— Entendi — falei, andando em volta do corpo. — Já sabemos a identidade da vítima? Não estou vendo bolsa ou carteira.

— Sim. Anne Lockhart. — Ao ouvir o nome, senti uma pequena eletricidade percorrer meu corpo. — Anne?! Idade? Filhos ou parentes, local de trabalho, possíveis inimigos? Já temos essas informações? — questionei.

— Sei que você é um pouco ansiosa, Sophia, porém, vamos com calma.

Enquanto ouvia Pierre e o sargento falando sobre tudo o que eles sabiam da vítima, eu rondava o corpo e andava alguns passos para frente e para trás; imaginando como havia ocorrido a luta corporal.

— Pierre — chamei-o. — Venha cá, por favor. — Ele andou na minha direção, ouvindo tudo o que eu dizia sem me interromper. — Ela estava caminhando por aquela rua, lá trás. Foi de noite, sem testemunhas. Ninguém a viu, exceto a pessoa. Suponho que tenha sido um homem ou uma mulher muito forte. Parece que a vítima sabia um pouco de artes márcias...

— Por quê? — Ele interrompeu pela primeira vez.

— Por quê? — repeti. — Olhe para o rastro. Ela saiu correndo, obviamente para fugir. Escorregou ou a pessoa a derrubou, e ela caiu por aqui. — Fui até um latão, derrubado poucos metros longe da vítima. — Ela bateu no latão. Isso explicaria as contusões na coxa.

— Que contusões? — Pierre perguntou.

— O que você fez esse tempo todo? Enquanto você falava com o sargento e bufava para as pessoas eu olhava a vítima.

— Certo, continue...

— Ok! Como eu ia dizendo, ela bateu no latão e caiu, porém, não desmaiou. Estava lutando por sua vida com garra, mas não foi o suficiente. Ela levantou meio cambaleando e tentou socar a pessoa. O roxo na sua mão esquerda diz isso. E... era canhota. A pessoa era forte, do contrário a vítima não ficaria com o hematoma na mão.

— Estou começando a compreender. Continue — ele me incentivou.

— Então ela se virou, porque ouviu um barulho. Pensou que talvez pudesse ser alguém. Não era alguém, era o quê! O gato de rua que sempre anda por aqui e está morto bem ali — falei, indo em direção ao fim do corredor.

— Inacreditável! — exclamou.

Voltei correndo para o latão e continuei

— Ela se virou para ver o gato e a pessoa deu uma chave de braço nela, fazendo com que ficasse desacordada para dar o tiro fatal.

Pierre me olhou sem acreditar.

— Uau! Você chegou com tudo, hein!

— Obrigada, parceiro. Lembrando que são apenas hipóteses. Vamos para a delegacia, informar o capitão.

Nosso chefe era rabugento, mas eficiente. Era alto e de porte atlético, como deveria ser. Tinha cabelo preto e uma cicatriz no rosto. Ele há conseguiu numa perseguição a um assassino, num certo dia.

O dia estava com um sol de rachar, quando chegamos à delegacia. Informamos ao capitão o que achávamos do crime e fomos para nossas mesas, fazer algumas ligações.

— Sim, eu entendo que o senhor não a conhecia bem. Ela se mudou há quanto tempo mesmo? Seis meses?! Ok — repeti. — Obrigada, senhor. Precisaremos que o senhor venha até a delegacia. Amanhã — informei.

— Conseguiu alguma coisa? — Pierre perguntou.

— Sim, a moça se mudou para cá faz apenas seis meses. Mas não era bem vista pelos vizinhos. Pelo o que ele disse, era usuária de drogas e já havia se metido em várias confusões no prédio. Disse para ele vir amanhã na delegacia para pegar um depoimento formal. E você, o que conseguiu com o chefe dela?

— Vamos ter que ir até o restaurante. Quem atendeu ao telefone foi a secretária e marquei para amanhã. Senti que a mulher quer nos dizer alguma coisa — exclamou. — Estava inquieta, suspirava sempre que ouvia o nome da moça. Não acho que ela gostasse da Anne.

— Para que horas? — perguntei.

— Primeira hora do dia. Às oito. Passo na sua casa quinze minutos antes, pode ser?

— É claro. Aproveita para tomar um café comigo e com a Anne. — Ao ouvir o nome da minha irmã, Pierre estremeceu e eu sei o motivo.

— Aposto que você ficou assustada, quando ouviu o nome da vítima — afirmou. — Eu mesmo senti calafrios. Coincidência estranha e assustadora.

Era isso que eu esperava que ele dissesse.

— Por mais estranho que possa parecer, eu estava tranquila. Tinha dado um beijo de bom dia na *minha Anne* pouco antes de vir para o trabalho. Ela está segura agora — retorqui.

— Antes ela não estava, Sophia? Não entendi o que você quis dizer com isso. Com um assassino à solta, acha que ela está segura? Eu sinto receios quando chego perto de um crime em que uma mulher está morta. Depois do sequestro da Eloise... Pensando bem, não quero nem lembrar daqueles dias de horror. Você sabe que eu não temo por mim, mas por ela e pelas crianças.

— Eu entendo você perfeitamente, também me lembro daquele dia como se fosse ontem. Foram dias de terror. Imagine a minha Anne, tadinha, ela estava apavorada demais.

2

Sophia Courtney

Tudo começou quando um monte de jornalistas chegou à delegacia. Foram colocadas muitas cadeiras no centro da sala de coletivas, e a do capitão no centro, de frente para todos. Na medida em que chegavam, ouvíamos cada vez mais absurdos em relação ao caso. Eles não tinham limites.

O capitão não estava em um bom dia para coletiva. Estava muito mal-humorado. Esse caso da mulher o estava deixando mais do que estressado. As perguntas o deixavam ainda mais irado! Eles queriam muitos detalhes, saber qual era a estratégia para pegarmos o assassino e se tínhamos nomes. Ou eram burros ou se faziam. Como se o capitão fosse dar nomes — se tivéssemos — para uma coletiva de imprensa, para a pessoa que matou a mulher fugir... se é que já não tinha feito. E se estivesse assistindo o jornal e descobrisse a nossa estratégia?

Eu estava me divertindo com tudo. Pierre estava muito apreensivo, e eu calma, até que uma pergunta me tirou do devaneio. Não! Foi a resposta do capitão. Ele estava realmente irritado com esse caso.

— Capitão, como a polícia pretende pegar o assassino? — perguntou um homem de estatura normal, cabelo preto, barba por fazer e razoavelmente bonito.

Olhei para o capitão e para o homem. A resposta veio com a mesma rapidez que foi feita.

— Bom, garanto a vocês que estamos fazendo todo o possível. Eu e os detetives, Pierre e Sophia, estamos trabalhando nesse caso com unhas e dentes. Contudo, devo afirmar que nossa estratégia é confidencial. Imagine você que o assassino esteja, quem sabe, dentro desta sala? Imagine que seja você o assassino — o capitão disse ao homem —, e eu lhe dissesse todas as nossas estratégias? Imagine o caos que seria.

Houve um estardalhaço de cabeças virando de um lado para o outro e parando no homem que formulou a pergunta que irritou o capitão de tal modo a dar esta resposta. Pude ver o sorriso de canto que se formava no rosto do jornalista. O capitão seria o próximo a ser atacado no jornal por aquele homem. Isso daria uma bela capa:

"Crime mexe com a cidade de Paris. Capitão de polícia ataca jornalista em coletiva de imprensa, supostamente o acusando de ser o assassino!"

Ele teria uma bela manchete para o dia seguinte.

As perguntas após essa não foram nada satisfatórias. Os jornalistas pareciam pensar que éramos incompetentes e que não estávamos fazendo o nosso trabalho direito. O capitão ficava cada vez mais irritado com as perguntas sem nexo. A coletiva de imprensa não durou mais que meia hora.

Quando todos foram embora, o capitão nos chamou à sala.

— Quero que descubram logo quem foi que fez isso! Estou ficando sem paciência com esses jornalistas enxeridos. Ao invés de ajudarem, eles só nos atrapalham, e ainda são ignorantes o suficiente para fazer uma pergunta daquelas sobre as estratégias. Como se fossemos dizer algum nome sem provas. Ou pior, dizer algum nome para eles.

— Sim, capitão — disse Pierre —, nós vamos descobrir.

— Temos uma boa ideia para começar, capitão. Estamos investigando o local em que ela trabalhava e o apartamento. Parece que ela não era boa coisa. Metia-se direto em encrencas, o síndico do prédio me disse por telefone.

Cheguei ao meu apartamento uns trinta minutos depois que a coletiva acabou. O capitão nos dispensou cedo, pois não tínhamos muito o que fazer, precisávamos esperar até amanhã para falar com o legista e começar os interrogatórios.

Abri a porta e vi Anne sentada no sofá, lendo um livro.

— Boa tarde, mana — ela disse, levantando os olhos para me olhar.

— Boa tarde, princesa — respondi. — Vamos tomar café?

— Eu estava esperando você dizer isso, estou verde de fome. Mas, pensando em largar esse livro agora... fico triste. Shakespeare é maravilhoso, aprecio demais todas as obras dele.

Anne era parecida comigo. Ruiva, com olhos castanho-claros. O seu cabelo de nerd batia no meio das costas.

— Hoje foi um longo dia — falei.

— Eu vi o noticiário. Que sinistro! Arrepiei-me quando ouvi o nome dela.

— Já passou, eu estou aqui. Sabe que nada de ruim vai acontecer com você — disse, tirando minha arma da cintura.

Anne não gostava de armas.

— Por que você tem que tirar isso da cintura perto de mim? — questionou num sussurro.

— Minha irmã, isso é segurança. Além do mais, é meu trabalho e eu o amo — respondi.

Sentamo-nos em silêncio. Tomamos o café da tarde com ela empolgada para assistir ao desfile de formandos da faculdade.

Não tinha nada que ela mais gostava do que assistir um desfile, ver o trabalho de seus colegas. Anne cursava moda há um ano.

— Ah! Eu nem acredito que está tão próximo. Faltam só quinze dias. Depois de quase dois meses de espera, quinze dias não são nada! — afirmou.

— Meu Deus! Se você já está assim para assistir um desfile, imagina quando for o seu. Vai enlouquecer na espera.

— Com toda a certeza — ela confirmou.

Terminamos o café e fomos para a pia lavar as xícaras.

— Deixa que eu lavo, Sophia. Você deve estar cansada do trabalho. Vai tomar um banho e descansar — disse.

— Tudo bem, mana. Qualquer coisa me chama. Vou estar no meu quarto, lendo um pouco antes de dormir.

Saí do banho com a toalha no cabelo, me olhei no espelho, eu estava feliz da vida. Tinha muito trabalho a fazer, uma irmã que eu amava demais, um parceiro que eu tinha como um pai. Estava feliz como todas as coisas se encaixam. Tudo indo para o seu devido lugar.

Continuei com a leitura do meu clássico e um trecho me chamou a atenção.

— Eu só queria saber que caminho tomar — pergunta Alice.

— Isso depende do lugar aonde quer ir — diz o Gato tranquilamente.

— Realmente não importa — responde Alice.

— Então, não importa que caminho tomar — afirma o Gato, taxativo.

Refleti um tempo sobre este trecho do livro.

Conclusão: *se você não sabe para onde ir, qualquer caminho serve.*

Há pessoas que dizem que não tem por que um adulto ler um livro que foi escrito para crianças, que não servirá para nada. Engraçado, pensando um pouco sobre este trecho vejo claramente o motivo por que gosto tanto de ler livros infantis. Eles foram escritos para crianças — sim e não — e foram escritos por adultos. Ou seja, um adulto pode ler um livro infantil e agregar muitos valores para a vida.

Passaram-se horas, parei de ler e fiquei matutando nesse pequeno trecho em resumo: *se você não sabe para onde ir, qualquer caminho serve*. Que verdade nua e crua.

A última vez que olhei o relógio já passava da meia-noite. Coloquei o livro na cabeceira e os óculos por cima, atualizei o horário no despertador e adormeci.

Na manhã seguinte o despertador tocara às sete. Pierre chegaria em quinze minutos para o café. Vesti uma calça jeans, botas de montaria, uma blusa branca de seda e prendi os cabelos ruivos num coque frouxo.

Chovia com certa intensidade lá fora. Um belo dia para pegar um assassino. Na verdade, melhor mesmo seria ficar debaixo das cobertas, tomando café e lendo um bom livro policial. Pensando bem, é melhor estar na rua, investigando e prendendo bandidos, do que descobrir o bandido num livro.

A campainha tocou. Anne abriu a porta.

— Bom dia, Pierre — cumprimentou, ainda sonolenta.

— Bom dia, querida — ele respondeu. — Sua irmã está acordada?

Eu ouvi a pergunta da cozinha e respondi:

— Estou na cozinha, Pierre. Venha cá.

Pouco tempo ele estava se aconchegando na cadeira e bebendo cappuccino. Anne estava com a gente, mas parecia que estava dormindo.

— Você está bem, Anne? — ele perguntou, preocupado.

— O quê? — ela retorquiu.

— Anne acorda, porém não está acordada. Ela não é das pessoas que despertam de bom-humor de manhã cedo — expliquei.

Pierre pareceu entender, depois disso não puxou assunto com ela. Comemos o nosso *tartine beurre confiture* tranquilamente.

— O que você achou do capitão ontem, na Coletiva? — perguntei. Eu precisava saber o que Pierre achou daquela cena estranha.

— Olha, eu não entendi muito bem. Ele estava tão apreensivo e estranho. Parecia que conhecia a vítima, tudo estava estranho. O grande interesse dele nesse caso em especial. Será que ele tinha um caso com aquela mulher? — Pierre questionou.

— Não! Com certeza não. Bom, eu acho que não. Ele nos contaria, certo? Pelo menos para você, que trabalha no departamento há mais tempo que eu.

— Ele não falou nada comigo, exceto o que você presenciou. Nada além daquela conversa sem nexo.

— Nós devemos ir mais afundo nisso. Por que ninguém gostava dela? Será que o capitão estava envolvido com coisa errada?

— Eu duvido muito — respondeu Pierre.

Anne pareceu acordar.

— Eu vou tomar um banho — disse.

— Já não era sem tempo — falou Pierre. — Você está bem, minha querida?

— Sim, é claro que estou.

— Você devia ter dito a ele, Sophia.

— Eu disse!

Anne ouviu o que eu disse e se levantou, indo para o banho.

— Até mais, Pierre. Acho que quando eu terminar, vocês já terão ido.

— Sim — respondi por ele —, vou pegar minha bolsa e já estamos indo.

Descemos as escadas em silêncio. Antes de abrirmos a porta eu vi o carro do Pierre estacionado logo em frente. Corola, preto, incrivelmente confortável. Apesar de todo esse conforto, eu gostava demais do meu Peugeot vermelho. Optamos por ir ao carro do Pierre dessa vez. Ele dirigiu em silêncio por mais ou menos quinze minutos.

O restaurante era razoavelmente apresentável. Limpo e organizado. Nada do que eu esperava.

Não era muito grande. Poucos funcionários, em média dez, contando a vítima e o proprietário, que logo descobrimos ser o senhor que havia nos atendido na porta.

— Bom dia, senhor! Sou a detetive Sophia Courtney — falei, mostrando o distintivo. — Esse é meu parceiro, detetive Pierre Chermont — apontei para Pierre. — Como o senhor se chama? — questionei.

— Bom dia, detetives! Meu nome é Antonie Daphné.

— Como Anne era no trabalho e por que o senhor a contratou? — perguntou Pierre.

— Bom, digamos que eu a contratei pelo fato de ela ter implorado bastante. Quando ela veio me pedir emprego, disse que havia se mudado há pouco tempo para a cidade.

— Ela comentou em que lugar morava antes de vir para cá? — perguntei.

— Sim, eu lembro muito bem desse dia. Ela era nova-iorquina.

— E ela por acaso mencionara o motivo da mudança?

— Não que eu me lembre. Ela não lidava muito bem com pessoas, apesar de trabalhar com elas. Eu senti pena dela no início, mas já estava me cansando da sua frieza e grosseria com os clientes. E teve o problema com um funcionário que não estava com a cabeça no lugar — afirmou.

— Poderia nos dizer exatamente qual foi o problema com o funcionário? — Eu estava com a caneta e o bloco de anotações na mão. Tomava nota de tudo o que ele dissera desde o começo. Aprendi a escrever muito rápido, na medida em que trabalhava nos casos.

— Sim, eu me lembro. Foi uma tremenda dor de cabeça! O cara tentou agarrá-la na porta do banheiro feminino, o que ele não percebeu era que havia uma câmera bem em cima e filmou todo o ato. Ele estava muito bêbado. Outro funcionário que incomodou muito. Eu dei muitas chances a ele, pois sempre que tentava demiti-lo ele alegava que precisava muito do emprego, e eu, com esse coração mole, acreditava na conversa fiada de que ele mudaria e que não acontecia mais — afirmou. — Quando ele tentou agarrar Anne dentro do meu estabelecimento foi a gota da água. Eu o demiti por justa causa. Isso não o deixou nada satisfeito. Lembro-me muito bem, apesar da idade, dele ter ameaçado Anne e a mim também. Acusou-nos de injustiça, acreditam?

— Ele tem coragem — falei —, sem dúvidas tem.

— Por acaso o senhor teria o endereço do sujeito? — pediu Pierre.

— Eu até tenho, mas não sei se ele ainda está morando lá. Era em uma pensão próxima daqui.

— Entendemos. Vamos checar, Sr. Antonie. O senhor por acaso se lembra de alguma coisa diferente que aconteceu à vítima ou que ache ser relevante para a investigação?

Ele ficou quieto. Negou com a cabeça; parecia que estava escondendo alguma coisa.

— Ok. Obrigada pelas informações — falei. — É provável que chamemos o senhor para depor na delegacia, tudo bem?

— Sim, sem problemas.

3

Sophia Courtney

O interrogatório durou cerca de vinte minutos. Chegamos à delegacia por volta de oito e meia. Coloquei minha bolsa no apoio da cadeira, desviei o olhar para a sala do capitão e percebi que havia uma movimentação estranha lá dentro. Um homem alto fazia gestos que parecia estar muito irritado, e o capitão o olhava com fogo nos olhos. Podia sentir a vibração que aquela sala emitia. Era ódio. O homem estava de costas, por isso não pude ver o seu rosto, tinha algo de errado com o capitão, até Pierre notara. Estava envolvido demais com esse caso. Parecia que era pessoal, que ele conhecia a pobre vítima.

— Bom dia — cumprimentou o capitão. — Sophia, Pierre, gostaria que viessem até minha sala imediatamente — disse, olhando-nos.

— Sim, capitão — respondi, encarando-o. Ele sustentou meu olhar por alguns segundos, virou-se e foi para sua sala escura.

O batalhão inteiro estava sentindo a apreensão do lugar/capitão. As coisas estavam estranhas, desde o assassinato da tal Anne.

A sala dele era escura e fedia a incenso barato. Pierre sabia que eu detestava aquilo, por isso me olhou com pena. Mostrei-me indiferente. Eu me olhei no reflexo da janela escura, estava apreensiva, principalmente porque o capitão fixou o olhar em mim por muito mais tempo que os habituais dois segundos.

— O que vocês descobriram com o Antonie? — o capitão nos questionou.

Fiquei pensando como ele sabia o nome do homem, se nem havíamos dito nada ainda. O restaurante não era exatamente um local que o capitão frequentaria com a esposa e as filhas. Não estava ao seu nível social. Fiquei intrigada com esse ponto em especial.

— Nada muito importante, exceto que mais uma pessoa que odiava a vítima. Além das muitas outras. Esse caso será difícil de desvendar; são muitos inimigos, muitas pessoas queriam ela morta.

— Eu não acho — afirmou com muita convicção. — Acho que o culpado, ou culpada, se crê muito esperto, mas vocês o pegarão, certo?!

Aquilo não foi uma pergunta.

— É claro — Pierre afirmou. — Não existe crime perfeito, existem pessoas que não acharam as provas que sempre estiveram lá.

Ele estava confiante, mas do que o normal. Até Pierre começava a me preocupar.

— Certo. Mas vocês descobriram mais um nome com quem a vítima teve problemas? Qual foi o problema mesmo? — questionou, muito interessado.

— Tinha um funcionário do restaurante que tentou assediar a vítima no próprio local de trabalho. Contudo, ele não viu que bem acima do banheiro feminino havia uma câmera filmando tudo. O cara foi demitido por justa causa. — Uma causa muito boa, na minha opinião. — O Sr. Antonie disse que ele e a vítima foram ameaçados por esse tal de Armand Girani — informei o nome do suspeito, esperando ver a reação do capitão.

Se ele conhecia ou não o cara, não sei, pois permaneceu indiferente ao ouvir o nome.

— Acharam a ficha dele? Deve ter uma bela ficha criminal, com o que ele fez com a moça; e não deve ser a primeira — finalizou.

— Ainda não tivemos tempo — respondeu Pierre. — O senhor nos chamou assim que chegamos.

— Mais alguma coisa, capitão? — perguntei, sustentando seu olhar por mais tempo.

— Não. O que estão esperando? Ao trabalho.

A página aberta do meu computador dizia que Armand Girani já havia sido preso e solto. Muitas e muitas infrações de trânsito, assédio a colegas de trabalho, restrição de distância da ex-namorada e muitas outras coisas. A lista era gigantesca. Ele podia muito bem ter cometido o assassinato, sua ficha o incriminava.

— Uau! — disse Pierre ao olhar para a página do suspeito. — que ficha, hein!

— Eu disse a você, a rejeição para alguns homens é fatal. Esse caso vai nos dar muito mais dor de cabeça do que já deu.

— Concordo — disse Pierre. — O que mais me intrigou até agora é a maneira como o capitão está lidando com o caso.

A manhã passou vagarosa até a hora do almoço. Fizemos mais algumas ligações e marcamos de ir procurar por Girani no dia seguinte, para ver se o indivíduo ainda morava na pensão que Antonie nos passou.

Ao chegarmos na casa de Pierre, Eloise já estava nos esperando na porta. Assim que desci do carro ela veio correndo me abraçar. Fazia um tempo que eu não ia almoçar com eles.

— Bom dia, Sophia! Como você está? Deixe me ver — Ela me fez dar uma volta para que pudesse me analisar.

— Bom dia, Eloh! — respondi. — Também estava com saudades. — Fui para o afago de seus braços e ela me envolveu com o seu jeito de mãe protetora.

Desde que mamãe e depois a vovó morreram, eu nunca havia sentido nada parecido com amor materno, até conhecer Eloh. Linda, carinhosa, um coração gigante e uma comida deliciosa, com sabor de comida de mãe, que só ela sabe fazer.

Soltei-me de seus braços para entrar na casa. Em seguida, vi, de canto de olho, Pierre dar um beijo carinhoso na mulher. Eles formavam um casal perfeito. Tinham vinte anos quando se conheceram e estão casados há bons vinte e oito anos. Estão há mais tempo juntos do que eu estou neste mundo.

— Onde está o Alaric? — perguntei. — Estou com saudades daquele banana.

— Acho que eu ouvi o apelido mais carinhoso — ele disse, descendo a escada. — Sophia! — Alaric falava, enquanto eu corria até ele. — Tudo bem! Tudo bem! Já pode me soltar.

— Como está a faculdade? Nem pense em pedir a minha maninha em casamento, ouviu?! Ou eu soco a sua cara! — exclamei, mostrando a ele meu punho fechado.

— Acho que eu já perdi o posto — insinuou. — Parece que tem outro na minha frente.

— O. Quê. Foi. Que. Você. Disse?! — perguntei pausadamente.

— Ué! Pergunta pra sua irmãzinha e não pra mim.

Eu vi uma coisa que poderia ser chamada de riso, saindo do canto da sua boca.

— Já sei. Está tentando me sacanear, só porque não quero você como cunhado, né?! — zombei, mas no fundo eu estava aflita. A minha Anne não deixaria de me contar se estivesse namorando, deixaria?

Pierre e Eloise riam alto, do outro lado.

— Você não vai acreditar nisso, vai Sophia? Eloise perguntou, rindo à beça.

— Não, mas... é que eu acabei de me lembrar de uma coisa estranha. A Anne quer fazer um jantar especial hoje à noite — suspirei.

— Eu disse — anunciou Alaric, rindo. — A Anne tá namorando! A Anne tá namorando! — gritou e saiu de perto de mim, correndo. Quase acertei um tapa na orelha dele.

— Crianças — Pierre falou, revirando os olhos. — O que acham de irmos para a mesa?

Fui colocada ao lado de Pierre e Alaric ao lado de Eloise, medida tomada por Pierre. Ele alegou que crianças não podem almoçar uma ao lado da outra, o que nos fez rir ainda mais.

Dei um cascudo em Alaric e me sentei para almoçar.

— Não acredito! — exclamei com água na boca, ao ver o prato que fora depositado na minha frente. — *Cassoulet!* Eu já disse que te amo, Eloise?

— Você acha que eu não faria a sua comida predileta? Sabe que eu amo cozinhar para vocês.

Almoçamos em silêncio, todos estávamos apreciando a comida que a Eloh havia preparado. Se Pierre e Alaric ainda não haviam se acostumado com a comida deliciosa que ela preparava, imagine eu que não almoço aqui todos os dias. Às vezes, como na delegacia mesmo. Principalmente quando estamos trabalhando em casos como este, que requerem muita paciência e competência da nossa parte.

— Eu estou pensando seriamente em almoçar aqui todos os dias — falei.

— Eu não entendo por que ainda não fez isso! — exclamou Eloise, sentindo-se ofendida. — Pierre me contou que sempre que a convida para vir aqui você diz que não quer incomodar.

Não sei quantas vezes precisamos dizer que você não incomoda. Você faz parte da família, Sophia. Você e a Anne.

— A Anne principalmente — disse Alaric e eu não me importei dessa vez. Estava comovida, ouvindo o que Eloise dizia.

Desde que vovó faleceu, há quase sete anos, nunca me senti em casa ou amada por alguém, a não ser por Anne e por eles.

Fazia cinco anos que eu trabalhava com Pierre. Lembro-me como se fosse ontem... Uma menina-mulher, de vinte e um anos, entrando para a polícia, com todo o preconceito daquele tempo. Não que hoje seja muito diferente, mas já melhorou e muito minha relação com os colegas machistas. Mas Pierre sempre foi profissional e me ajudou a lidar com tudo, e a nossa amizade foi crescendo aos poucos, no decorrer dos anos.

Quando contei a ele sobre a morte dos meus pais e da vovó, ele entendeu por que eu era diferente das meninas da mesma idade. Eu fui obrigada a amadurecer cedo demais, carregar mais responsabilidade do que eu podia suportar. Amo a minha irmã, mas por conta da nossa realidade tive de criá-la como eu podia. Mas, graças a Deus e depois a Pierre, eu suportei todo o peso. Venci a batalha.

Hoje, Anne faz faculdade, não precisa trabalhar, é amada e ainda ganhou uma segunda família por causa do meu trabalho. Não posso dizer que não tenho sorte. Não foi fácil a minha jornada, mas estou de pé, conquistando meus objetivos de vida; cumprindo todas as promessas. Em especial a que fiz aos meus pais no leito de morte deles. Hoje eu penso o que seria da Anne se eu tivesse morrido naquele acidente com meus pais. Depois que a vovó morresse ela estaria sozinha. Talvez tivesse um Pierre e uma Eloise para ajudá-la, talvez não.

— Tchau, Eloh! — disse em meio ao abraço. — Obrigada — sussurrei em seu ouvido.

— Venha cá, seu banana — chamei Alaric e dei-lhe um abraço apertado.

— Tá. Eu sei que você me ama, mas já deu de abraço.

Eu o larguei.

— Volta aqui! — Alaric me puxou para me dar um cascudo. — Eu te amo, pentelha — disse no meu ouvido.

— Também te amo, bananinha — sussurrei.

Após esse gesto de amor, entrei no corola e voltamos ao trabalho.

— Quer me falar sobre o que foi aquilo? — Pierre perguntou, brincalhão.

Não respondi, vendo a paisagem passar na janela.

— Eu sei, Sophia — ele disse. — Não precisa dizer. Nós sabemos. Já sabemos há um tempo.

Eu apenas o observei. Não tinha nada para saber. Éramos amigos, ou pelo menos era o que eu achava.

A tarde foi agitada na delegacia. Repórteres e jornalistas não paravam de ligar, atrapalhando nosso trabalho. Tentativas de ligações para pessoas que conheciam a vítima, muitas frustradas, outras iradas. Aquela mulher tinha irritado muita gente.

— O que você acha disso tudo, Pierre? — perguntei com um tremendo cansaço.

— Concordo com você. Isso vai ser difícil, muitas pessoas a odiavam.

— Precisamos encontrar esse cara. Sinto que ele nos dará alguma pista convincente — disse.

— Acho que amanhã será um longo dia — sentenciou Pierre.

4

Sophia Courtney

Cheguei em casa por volta das sete da noite. Antes de abrir a porta do apartamento já estava sentindo o cheirinho de comida. Anne cozinhava muito bem.

— Boa noite, maninha! — disse ao tirar o casaco e pendurar no hall.

— Boa noite, Sophia! — Anne respondeu, inquieta.

Ela estava estranha. Comecei a achar que Alaric estava certo e havia mais do que ela estava me contando.

— Vou tomar uma ducha e volto para ajudar você.

Andei alguns metros no corredor até chegar ao meu quarto. Despi-me, coloquei uma música no celular — *Girls Like You* — e joguei meu cabelo rebelde debaixo da água quentinha, passando os dedos entre os cachos, enquanto ouvia a música e refletia sobre a vida.

"Se você não sabe para onde vai, qualquer caminho serve."

O livro de Alice havia mexido comigo. Será que eu sei para onde devo ir ou estou apenas criando problemas e fazendo a coisa errada? Como saber? A vida não é tão fácil quanto parece.

Deixei os pensamentos descerem pelo ralo e saí do banheiro.

— O jantar está ótimo, Anne — elogiei. — Quem foi mesmo que ensinou você a cozinhar desse jeito?

— A cozinheira da casa dos seus antigos patrões. Aqueles que ficavam comigo quando eu não tinha aula, quando você precisava ficar até tarde no treinamento da polícia. Agora não me venha com essa de que foi por causa de você que eu aprendi a cozinhar assim — Anne disse a plenos pulmões.

— Mas é claro que foi! — exclamei — Foi meu trabalho. Minha amiga cozinheira. Minha irmã. Tudo meu. Por isso eu tenho créditos no seu aprendizado. — Rimos com meu último comentário e eu resolvi estragar com uma conversa séria.

— Anne, eu estou adorando. Não duvide disso, mas...

— Mas você quer saber o motivo do jantar especial, acertei?

— Sim — respondi, abaixando a cabeça.

— Sophia, você se preocupa e trabalha demais — ela disse. — Nunca vejo você se divertir ou sair com amigos...

— Eu não preciso disso — falei convicta —, tenho você.

— Um dia eu não vou mais estar aqui, e não sabemos o que vai acontecer amanhã! Já tivemos uma experiência com acontecimentos cruéis...

Eu não deixei que ela continuasse, pois havia levantado da mesa na mesma hora em que deixei a lágrima fugir.

— Não me venha com essa, Anne! — exclamei, irritada. — Eu conversei com o Alaric hoje e achei...

— Era só o que me faltava! — ela disse, revirando os olhos. — Deixa eu adivinhar. Vamos ver... O Alaric disse que eu queria esse jantar por que estava namorando? Ah, faça-me um favor, Sophia. Nem tudo tem a ver com namorados. Não é porque eu nunca falei de nenhum pra você que eu não tenha tido — ela bufou.

— Como assim?! Anne, venha cá! — disse, puxando-a para um abraço apertado. — Desculpa! Eu não devia interferir tanto na sua vida. Você sabe o quanto tenho medo de perdê-la. Não suporto ouvir você falando essas coisas. Esquece o que o Alaric disse, tá?!

— Por falar nele — ela falou, irritada —, quando vocês vão assumir esse namorico, hein?

Não ousei olhar no seu rosto.

— Você pirou, mana? — perguntei, tentando manter o tom brincalhão. — Não tenho nada com aquele... — Eu precisava não só fazê-la acreditar nisso, mas eu acreditar também. — Primeiro ponto: nós não temos nada. Segundo: eu tenho cinco anos a mais que ele.

— Tenta enganar você mesma, Sophia, mas a mim você não engana — declarou.

Tiramos a mesa em silêncio e fomos para a pia, lavar os pratos. Conseguimos ficar quietas cerca de dez minutos.

— Desculpe, Anne — falei, por fim. — Eu não tive a intenção de ofendê-la.

— Tudo bem, mas quanto ao Alaric... não retiro o que eu disse. Você precisa ser feliz.

— Eu sei que parece estranho. Alaric é um ótimo homem, mas... não existe nós.

— Certo, eu não vou insistir. Você é quem sabe da sua vida. Quanto ao jantar — senti calafrios, esperando o que ela diria —, foi apenas para agradecer por tudo o que você fez por mim esses anos todos. Desde que papai, mamãe e a vovó morreram você fez tudo por mim. Eu queria poder retribuir, e sinto que você está desperdiçando a sua felicidade.

— Tá certo. Nós acabamos nos beijando sem querer, uma vez. Eu gosto dele e ele de mim. O beijo foi ótimo. Contudo, não existe eu e Alaric. Não desse jeito. Eu o amo e ele me ama, mas é um amor diferente. Não é algo envolvido com desejo ou atração; é algo mais do tipo *melhores amigos que deram um beijo.* Eu juro pra você — finalizei, mostrando os dedos para ela ver que eu não estava mentindo.

— Eu acredito em você, Sophia. De verdade. Eu também amo o Alaric, a Eloh e o Pierre. Eles significam tanto para mim quanto para você. Eu gostaria muito de ver você sendo feliz, assim não me sentiria tão culpada.

— Anne, por que você deveria se sentir culpada? Eu sei que a nossa jornada até aqui não foi fácil, porém nós conseguimos. Eu pude dar a você a faculdade que queria, moramos num apartamento aconchegante que eu consegui comprar, eu amo o meu trabalho e amo ter podido conhecer Pierre. E tenho você! — falei, empurrando-a para trás.

Acho que finalmente pude convencê-la, mas no fundo tinha mais uma coisa que me deixaria feliz...

Já estava com um livro da rainha do crime na mão, pronta para qualquer batalha. Às vezes, penso na resolução que Agatha Christie dava aos crimes; acho que com aquela visão ela realizaria *o crime perfeito*. Confesso que muitas vezes são os livros dela que me dão uma boa pista dos crimes que soluciono aqui na cidade.

Estava mais acordada do que quando cheguei em casa. A conversa com a Anne me despertou fagulhas estranhas, vindas do coração, enquanto eu pensava no Alaric. Ele era o típico nerd: óculos de grau, magricela, pernas compridas, cabelo arrumadinho; o que não combinava era o boné e o jeito nada tímido. Era o nerd-popular.

Acordei com o celular vibrando em cima do criado-mudo. Não estava acordada de verdade. Não conseguia sequer enxergar o nome escrito na tela do meu smartphone. Já a voz era impossível não reconhecer.

— Alô — disse, sonolenta.

— Oi, sou eu — ouvi a voz do outro lado da linha, parecia que falava de perto.

— Ainda é de madrugada — falei, indignada. — Como você tem coragem de me ligar esse horário? — Eu estava começando a acordar de verdade, já estava notando o agitamento do outro lado da linha.

— Abre a porta. Rápido.

— Estou indo. Calma! — disse, bufando. — Vou colocar a roupa e já estou indo abrir.

— Certo — ele falou e desligou.

Peguei a primeira calça jeans que vi no guarda-roupa, uma regatinha cinza e fiz o coque rebelde de quem acabara de acordar, peguei os óculos para melhorar a visão e saí batendo nos moveis até chegar à porta.

— O que é tão urgente para me acordar uma hora dessas? — questionei Pierre, que estava indiferente.

— Trabalho. Assassinato. Torre Eiffel — disse ele.

— Ah! É isso?! — imaginei que fosse mesmo.

Ele estava indo até a cozinha, quando falou:

— Vou fazer dois cappuccinos para nós, enquanto você vai lavar essa cara amaçada para acordar de verdade; e vê se joga água gelada, hein.

Voltei do banheiro um pouco melhor. Eu tinha ido dormir tarde, por isso estava com tanto sono. Quase não dormi, na verdade.

— Fala baixo, por favor — pedi.

— Você bebeu, Sophia?

— É claro que não! Sabe que eu não bebo álcool. É só que eu não quero acordar a Anne. Tivemos aquela conversa ontem; ela veio com o mesmo papo furado que você. A história do Alaric de novo. — Revirei os olhos. — sinceramente, eu não sei qual é o problema de vocês.

— Compreensivo — foi o que Pierre disse. — Agora precisamos nos apressar para a Torre. Se prepare para um monte de gente aglomerada de novo.

Sigo para o banheiro e dou uma boa olhada no meu reflexo, escovo os dentes e faço um delineado. Saio do banheiro pronta para o grande dia.

Pierre já estava me esperando no carro e desta vez vamos com meu Peugeot. Seguimos com uma conversa normal até chegar à Torre.

Levamos cerca de quinze minutos até o local do crime. Como Pierre disse, havia um aglomerado de gente. Demoramos alguns minutos para passar entre os jornalistas, repórteres e os curiosos.

Olhei para aquela faixa amarela e pensei algo estranho. As pessoas precisam ser mortas para eu trabalhar. Nunca tinha tido esse tipo de pensamento; isso quer dizer que o cara que estava prestes a ir para o saco preto e seguir para o legista estava quase pagando o meu salário. Hilário e macabro, mas era a verdade cruel.

Pessoas morrem todos os dias, seja de causas naturais, acidentes ou assassinatos. Eu deveria estar acostumada a mortes, afinal já havia perdido quase todas as pessoas importantes para mim.

O cadáver era um homem de estatura média, cabelo preto desgrenhado e tinha olhos negros como o céu noturno. Sim, eu o conhecia. Havia falado com ele uma vez, num caso em que eu e Pierre estávamos investigando. A morte da ex-mulher dele.

Ele era frio e calculista. Estava na cara dele quando o interrogamos. Confesso que não gostei nada dele e a repulsa só foi crescendo ao saber de todas as atrocidades que cometera.

— O que você acha disso, Sophia? — Pierre perguntou.

— Acho que vamos recolher o lixo da rua — falei com certeza. — Temo que ele não fará falta à muita gente.

— O que é isso, Sophia?

— O que foi, Pierre? Vai dizer que você não concorda?! — questionei, não acreditando.

— Concordo, mas...

— Não tem *mas* Pierre. É simples assim.

— Acho que você precisa tirar umas férias. Está muito fria para quem começou o trabalho na polícia há míseros cinco anos.

— Nada disso. Eu apenas sei quando devo ser sincera e com o que devo me preocupar.

Ele me olhou intrigado; talvez eu tenha ido longe demais.

Analisamos a vítima, olhamos o local, os inúmeros antecedentes e a pequena pena que ele cumprira ao matar a ex-mulher. Isso era injusto. Injusto com as pessoas a quem ele fez mal. Cinco anos não foram o suficiente para ele na cadeia. Eu soube que ele tentou assediar mais uma jovem, de apenas dezoito anos, há pouco mais de um mês, mas foi impossível provar.

Ao chegarmos à pensão que Antonie nos indicou, constatamos que, como imaginávamos, nosso suspeito não morava mais lá.

— Bom dia — disse a senhora que cuidava do local. — Ele foi embora assim que foi demitido do restaurante.

— Entendemos — falei. — Como ele era com as pessoas que moravam aqui? — questionei, temendo pela resposta.

— Os senhores vão me desculpar, mas ele era terrível. Ninguém aqui gostava dele, arrumava confusão com todos os moradores, chegava bêbado e infernizava meus clientes. Ter ido embora deixou muitas pessoas felizes, inclusive eu. Nem o aluguel ele pagava direito. E sempre que eu ia cobrá-lo ou dizia que se não pagasse teria que ir embora, ele me ameaçava e vinha pra cima de mim.

— Por que a senhora nunca deu queixa? — Pierre questionou.

— Olhe para este lugar? Acha que se a polícia viesse aqui por alguma coisa eu conseguiria mais clientes? Eu tinha que arriscar — concluiu, cabisbaixa.

O lugar era úmido e fedia a mofo. Pouco iluminado e não era bem localizado no centro. Uma pensão muito simples. Era até bem cuidada, contudo, esse detalhe não faria muita diferença na visão que as pessoas teriam do local. Não era o ambiente mais agradável.

— Compreendo, senhora — Pierre respondeu.

— Lembra-se de mais alguma coisa que acha ser relevante? Qualquer coisa! — exclamei

— Não. Sinto muito não poder ajudar em mais nada — ela disse, pondo um fim na conversa.

— Agradecemos o seu tempo, senhora. Gostaria de enfatizar que poderá ser chamada à delegacia para prestar um depoimento formal. A senhora compreende?

— Sim, detetive Sophia Courtney.

Não dissemos mais nenhuma palavra até termos entrado no carro e saído daquele lugar.

— O que você achou? Acredita nela? — perguntei, olhando nos olhos de Pierre.

— Para mim ela pareceu estar falando a verdade. Porém, mesmo que eu concorde com ela, que a pensão ficaria em uma situação complicada, não acho que fez bem em não o denunciar por ameaça.

— Eu também concordo com isso.

O trânsito estava tranquilo em Paris naquela manhã. O dia começara muito congestionado, mas agora estava calmo. Paramos em um sinal vermelho e liguei o rádio para abafar o silêncio.

Eu e Pierre nos olhamos e começamos a cantar *Carry On My Wayward Son,* nossa música preferida. Não éramos dois detetives vindos de um interrogatório, éramos dois amigos cantando.

Carry on, my wayward son
There'll be peace when you are done
Lay your weary head to rest
Don't you cry no more

Seguimos para a delegacia ao som de *Kansas Band*[2].

---

[2] Kansas é uma banda de rock norte-americana dos anos 1970, especializada no estilo progressivo.

5

Pierre Chermont

Rimos e cantamos muito até chegar à delegacia. Nós estávamos muito felizes. Não parecia que tínhamos acabado de ter uma manhã agitada. Primeiro, mais um caso, seguido do interrogatório na pensão e depois finalizamos ao som de *Kansas*.

O capitão nos chamou para mais uma daquelas suas reuniões de caso.

— Boa tarde — cumprimentou, olhando pela janela. — O que descobriram até agora? Qual é a ligação entre os dois casos? — perguntou. Estava inquieto mais uma vez. Os últimos dias não fizeram bem a ele.

— Boa tarde, capitão — Sophia respondeu. — Descobrimos que a nova vítima, como a primeira, não era o mocinho da história. Ele tem uma ficha complicada. Várias denúncias da ex-mulher por violência doméstica, tentativas de assédio sexual e, por fim, conseguiu matar a ex.

— Muito complicado — finalizei o que a Sophia havia dito. — Acho que o motivo/padrão desses dois casos é: justiça pelas próprias mãos.

O capitão olhou de mim para Sophia, incrédulo. Não estava aceitando o que eu havia dito.

— Isso não é motivo detetive. — Ele não estava contente.

— Sim. — Sophia entrou na conversa. — Contudo, é um ponto crucial da investigação, capitão. — Ela estava irritada.

— A questão, capitão, é que ele tinha uma longa ficha criminal como a primeira vítima. Muitas pessoas deveriam querer eles mortos. — Eu estava certo disso. Mas, quem? O motivo deveria ser muito grande para terminar em morte.

Saímos da sala do capitão e fomos para nossas mesas.

— Eu achei uma coisa. — Isso poderia mudar o rumo do primeiro caso.

— O que você achou? — Sophia perguntou

— Olha aqui.

Ela olhou para a matéria que eu apontava no computador. Ficou pálida e reagiu de forma estranha.

— Isso? Isso já faz tanto tempo. Acha que faz algum sentido remexer nesse caso?

Eu já estava lendo a matéria...

"... acidente de carro deixa dois mortos e uma menina de oito anos ferida no local. Pessoas que seguiam na pista em direção ao acidente encontraram o carro capotado entre as arvores. O socorro chegou quinze minutos depois da ligação, porém o casal morreu na hora. A menina não corre risco. O carro que causou o acidente, onde também havia um casal, capotou poucos metros à frente. A mulher foi presa e o motorista fugiu para a mata..."

— Essa matéria nos dá uma boa pista de mais um possível suspeito — Sophia estava branca como uma nuvem, olhando para o carro capotado. Ela olhava fixamente para o carro, quando me dei conta do que estava fazendo. — Ah, meu Deus! Desculpe, Sophia! Eu tinha esquecido. Espere, eu vou pegar um copo d'água para você.

Levantei-me da cadeira ainda estupefato pelo novo avanço, fui até o bebedor e quando voltei a vi correndo para o elevador.

— Sophia! — gritei sem sucesso.

Olhei para os lados, algumas pessoas continuavam o trabalho como se nada tivesse acontecido; os que ficavam mais perto da minha mesa me olharam sem entender. Ninguém na delegacia, além de mim, sabia certo o que havia acontecido com os pais dela. Como eu fui um completo idiota!

— Alô, Sophia. Desculpe-me — suspirei —, eu não devia ter mostrado aquilo. Eu havia me esquecido completamente. Desculpe — falei para a caixa postal.

Será que devo ir até a casa dela? Melhor não. Ela não vai querer me ver agora. Vou deixá-la digerir tudo isso. Amanhã conversamos com mais calma.

O dia estava passando sem muita novidade sobre os casos. Avisei ao capitão que Sophia passou mal e foi para casa. Ele não questionou mais nada. O capitão não se intromete na vida dos policiais, contanto que façamos o nosso trabalho.

Pesquisei um pouco mais a ficha criminal — não tão pequena — de Adrien. Pelo o que eu vi, até sua família não gostava dele, como também não gostavam da mãe também.

Achei algo interessante. O chefe do jornal *Audacieux* era primo da vítima. Parece que teremos mais um interrogatório, quem sabe consigo alguma pista satisfatória.

Ouço o capitão me chamando:

— Detetive! — Pelo grito, estava irritado. — Venha aqui na minha sala. AGORA! — Muito irritado.

— Sim, Senhor — falei ao entrar

— Feche a porta e sente-se.

Fiz o que ele mandou.

O capitão jogou um jornal na minha direção. Estava lendo a manchete, quando reparei no nome: *Audacieux*.

"A cidade de Paris está de luto mais uma vez. A polícia não está nos ajudando. Assassinaram um homem — nada inocente — na nossa amada Torre Eiffel, um monumento de longos 128 anos. A pergunta que queremos fazer ao departamento de polícia é: quantos mais precisarão morrer para vocês pegarem o assassino? A cidade quer respostas e atitude."

Antes de continuar a leitura, disse ao capitão:

— Eu estou reconhecendo esse nome — enfatizei. — É o cara que estava na coletiva de imprensa e que irritou o senhor. — Eu o estava irritando agora, mas precisava. — Tem outra coisa que eu preciso lhe dizer, capitão.

— Diga logo — ele respondeu, levantando-se da cadeira e dando um tapa em cima do jornal.

— O dono desse jornal é primo do Adrien.

— Quem diabos é Adrien?

— Adrien, senhor, é a vítima da Torre. Jean Lamartine, o dono do jornal, é primo da vítima. Vou até o escritório dele amanhã, intimá-lo para um depoimento formal na delegacia.

— Eu acho bom ele ter respostas. A coisa está saindo do nosso controle. Não quero mais que esses jornalistas de merda nos chamem de incompetentes mais uma única vez. — E o capitão prosseguiu, dessa vez esperançoso: — Isso caiu como uma luva nas nossas mãos. Depois do jornal dele dizer que não estamos protegendo a cidade, ele terá de vir à delegacia para depor. Agora, chispa detetive. — Ele me mandou sair da sala.

— Posso levar esse jornal? — Precisava terminar de ler a matéria.

— É claro! — assentiu, expulsando-me.

Saí da sala mais satisfeito do que quando entrei. O episódio com Sophia já havia sido varrido da minha mente, quando a vejo sentada na cadeira ao lado da minha.

Caminhei lentamente até lá, tentando ao máximo não expressar minha pressa em falar com ela.

— Sophia... — tentei iniciar, mas ela me interrompeu.

— Não diga mais nada. Eu peguei esse jornal na cafeteria — falou, entregando-me um copo de cappuccino. — Só fui pegar os cafés e esfriar um pouco a cabeça. Precisava de um tempinho. — Ela bebeu um gole do café e prosseguiu: — Para mim é difícil falar sobre o que aconteceu, acho que depois de todos esses anos ainda não superei. Peço desculpas por sair daquele jeito.

— Tudo bem, Sophia — respondi, atendendo ao pedido dela e não falando mais no assunto. — Você não vai acreditar no que eu acabo de descobrir. — Eu estava feliz que ela tivesse voltado. Sentia-me culpado, mas também queria logo falar sobre o cara.

— Conta logo — pediu. — O que você descobriu que está o deixando exasperado desse jeito?

— Sabe o dono desse jornal? — Mostrei o jornal para ela. — Jean Lamartine é primo do Adrien. — Ela tentava lembrar quem era Adrien; pude ver nos seus olhos, por isso completei: — Adrien é a vítima da Torre.

— Ah, eu sabia — ela disse sorrindo.

— Boa tarde — dissemos, mostrando os distintivos.

— Lembra-se de nós? — Sophia perguntou ao jornalista que fez a matéria sobre o assassinato.

— Eu? — respondeu num sussurro — Não lembro.

— Ah, não seja por isso — ela falou, sorrindo maleficamente. — Lembra-se disso? — Mostrou o jornal para ele. — Somos os detetives que você chama de incompetentes. Queremos falar com o seu chefe, Jean Lamartine. AGORA. — Parecia que ela estava exprimindo a sua raiva.

— Vou levá-los até ele.

O jornalista nos mostrou o caminho para que fossemos na frente, até chegarmos a uma sala onde estava escrito na porta: Jean Lamartine, diretor geral.

— Obrigado — disse ao jornalista, mas ele não se foi.

— Eu vou chamá-lo — falou, batendo na porta e a abrindo em seguida. — Sr. Lamartine...

— Adan, não está vendo que estou em reunião? — o chefe o interrompeu. — O que eu tinha dito antes?

— Eu sei, senhor. É que...

— É que o quê? Desembucha.

— Certo — Adan pigarreou. — Têm dois detetives querendo falar com o senhor. Bom, são *aqueles* detetives.

Lamartine passou a mão na testa.

— Os senhores podem me dar licença um minuto? — ele pediu com gentileza, não parecendo o mesmo homem que havia sido rude com o funcionário.

— Na verdade — eu disse, entrando da sala —, é melhor os senhores marcarem outro dia. O Sr. Lamartine terá que nos acompanhar até a delegacia para averiguarmos algumas coisas.

Lamartine me olhou com cautela.

— É... — pigarreou. — Amanhã eu ligo para vocês, tudo bem? — perguntou aos dois homens, que pareceram não gostar nem um pouco.

— Sim, amanhã conversaremos — disse o mais velho dos dois, levantando-se e arrumando o colarinho de um milhão de dólares. Esse seria um bom negócio.

— Lamartine, nós não temos o dia todo — atacou Sophia. Ele assentiu e saiu na nossa frente. Os funcionários olharam espantados para o chefe.

— Está tudo bem — Lamartine declarou, voltando ao tom autoritário de sempre. — Eu vou acompanhar esses detetives para ajudá-los na investigação como eu puder. — E fuzilou Sophia com o olhar, como se estivesse se segurando ao máximo para não estrangulá-la ali mesmo, na frente de todos.

Descemos pelo elevador e Sophia começou a cantar:

This ain't a song for the broken-hearted
No silent prayer for faith-departed
I ain't gonna be just a face in the crowd
You're gonna hear my voice
When I shout it out loud

Ele pareceu ficar ainda mais irritado quando eu acompanhei a cantoria dela. A música se encaixava perfeitamente ao nosso momento. Afinal, é a nossa vida.

No carro ficou um pouco pior. Além de cantarmos, Sophia colocou a música para tocar e aumentou o volume.

It's my life
It's now or never
I ain't gonna live forever
I just want to live while I'm alive

6

Pierre Chermont

Sophia e eu estávamos na sala de interrogatório. O capitão estava na sala ao lado nos observando. Ele estava levando esse caso muito a sério, principalmente depois daquela matéria no jornal do Lamartine.

— Lamartine, sente-se, por favor — pedi e ele assentiu sem reclamar.

— Você sabe por que está aqui? — Sophia perguntou, encarando-o.

— Sim, eu sei. Estou aqui para prestar depoimento sobre o meu querido primo, assassinado na Torre Eiffel — ironizou.

— Qual era sua relação com seu primo? — perguntei, olhando no fundo dos seus olhos negros.

— Não conversávamos fazia muito tempo, éramos apenas parentes — disse com desdém. — A mãe dele era a mesma pessoa desagradável desde que me lembro. Ninguém fala com ela, quase foi deserdada pelos pais. O filho era da mesma laia e ninguém gostava muito deles, não mantínhamos contato nenhum. — Ele olhava para as unhas impecavelmente limpas, mostrando desinteresse pelo assunto, como se Adrien fosse a escória da sociedade. Talvez fosse mesmo, para ele.

— Responda-me Lamartine, e pense muito bem no que vai dizer — Sophia falou, impaciente. — Alguém teria motivos para querer Adrien morto?

Ele gargalhou antes de responder.

— A pergunta correta seria: quem não teria motivos? — declarou com furor. — Adrien, além de ladrão, era assediador, agressivo, possessivo e assassino. Uma pessoa assim tem muitos inimigos! — afirmou.

— Como você tem tanta certeza do que disse? — questionei-o. — Tem alguma prova?

— Além de todas as restrições não cumpridas de afastamento da ex-mulher, as brigas de bares e o fato de ter ficado preso por cinco anos pela morte da ex-mulher? — indagou. — Não! É só isso mesmo. — Ele estava com muita raiva. Fechava a mão em punho, Imagino que tentando se controlar para não pular no meu pescoço. — Ele irritou muita gente. Gente da pesada — completou.

— Você está se referindo à Emmanuelle? — Sophia perguntou.

— Não fale dela com essa indiferença! — gritou, levantando-se.

— Sente-se agora ou irei algemá-lo à mesa! — ordenei.

— Desculpe! É que ela era uma boa pessoa. Eu nunca entendi o que ela viu nele. Ele sempre foi agressivo, mas ela lutou desde a primeira vez que apanhou dele. Ela denunciou e foi embora de onde moravam. Infelizmente, nenhuma medida de segurança tomada pela da polícia foi capaz de protegê-la. Nenhuma. As restrições para que ele não se aproximasse dela também não funcionaram — disse, expressando sua indignação com a polícia, deixando claro o motivo de não confiar em nós.

— Sentimos muito não ter conseguido ajudá-la, mas precisamos que você responda mais algumas perguntas — declarou Sophia, mostrando compaixão.

— Pode perguntar, eu não tenho nada para esconder.

— Você e Emmanuelle tinham algum tipo de relacionamento?

Ele olhou nos olhos de Sophia e respondeu:

— Nós tivemos, há muito tempo. Adrien me viu com ela e começou a seduzi-la. Terminamos e ela ficou com ele, mas já faz bastante tempo.

— Você teria um motivo interessante para matá-lo — Sophia falou com naturalidade.

— Teria e gostaria de ter sido eu a fazer justiça, mas não fui eu, infelizmente — concluiu.

— Certo — assenti. — Não que nós achássemos que você confessaria.

Ele apenas me olhou, triste.

— Onde você estava ontem à noite? — Sophia prosseguiu.

— Jantando com a minha esposa no restaurante *Boutary*.

— Alguém, além da sua esposa, poderia confirmar isso? — indaguei.

— Sim — ele respondeu com a mesma rapidez que fiz a pergunta. — Só umas dez pessoas. É o suficiente? — ironizou.

— É, sim — Sophia terminou a conversa. — Pode deixar o nome de todos com o Sargento, que entraremos em contato. Permaneça atento, pois poderá ser chamado para mais uma conversa, tudo bem? — ele assentiu e Sophia abriu a porta.

— Passe bem — disse ao sair.

Eu continuei sentado, imóvel, não acreditava no que acabara de acontecer. Ele chegou aqui extremamente irritado conosco e saiu satisfeito. A impressão que tive era que ele precisava expressar sua raiva e dor com alguém.

Quando me dei conta, o capitão estava dentro da sala, falando alguma coisa que eu não pude entender.

— Pierre! Pierre! PIERRE! — Ouvi Sophia gritar. — O capitão está falando com você.

Eu estava me lembrando de algo mais importante no momento.

— Sophia — chamei-a. — Desculpe, capitão — disse, antes que ele gritasse comigo. — Sophia.

— O que foi? — ela perguntou irritada.

— O cabelo! — exclamei.

— Quê?! MEU DEUS! — ela gritou, nervosa. — O cabelo no Adrien!

— Era o que eu estava dizendo.

— Que cabelo? — o capitão entrou na conversa. Eu havia me esquecido que ele estava ali.

— Nós encontramos um fio de cabelo no corpo do Adrien — enfatizou Sophia. Ela não parecia bem.

— E qual foi o resultado? Temos um nome? — O capitão estava andando de um lado para o outro.

— Vamos ver o legista agora — Sophia disse.

— O que estão esperando? — o capitão perguntou, irritado. — Vão de uma vez.

Chegamos ao consultório do legista. Era uma sala escura cheia de cadáveres, bisturis e muitos outros equipamentos cortantes. As paredes eram brancas e as gavetas prateadas.

— Boa tarde, Doutor! — cumprimentei-o. — O que você descobriu?

— Liguei para a delegacia e o novo sargento disse que avisaria vocês que eu já tinha um resultado da autópsia.

— Ele deve ter esquecido, é muito atrapalhado.

— Novatos! — Sophia murmurou com desdém. — Querem fazer tudo certo e acabam fazendo tudo errado.

— Bem, olhem isso aqui. — O legista nos levou até a mesa e nos mostrou um resíduo no microscópio.

— O que é isso? — Sophia perguntou.

— Pedaços de pele humana — ele explicou, com um brilho de orgulho no olhar.

— Então, o que foi a arma do crime? — questionei. — Punhos?

— Bingo! — disse o legista, batendo palmas. Ele adorava os jogos.

— Essas marcas no pescoço não seriam de um sufocamento?

— Não — ele respondeu imediatamente.

— Qual foi a causa da morte, afinal? — Sophia estava ansiosa.

— Pelo o que parece, ele apanhou muito. Mas não de qualquer um. A pessoa sabia exatamente o que estava fazendo. Eu diria que não foi nenhum acidente de bar — afirmou.

— O exame toxicológico está pronto? — Eu notava que a minha ansiedade crescia.

— Sim, ele mostrou uma quantidade absurda de álcool no sangue. Ou seja, quem fez isso conhecia muito bem a vítima.

— Ou... — falei, dando a volta para olhar melhor o ferimento. — Primeiro a pessoa fez sua vítima beber muito e depois puxou a briga.

— É uma possibilidade — o legista concordou, sorridente. — Mas isso vocês terão que descobrir.

— Fizeram a análise do fio de cabelo? — indaguei.

— Sim, e é da mesma pessoa que deixou o resíduo de pele humana que encontrei nas unhas dele. — Ele fazia um suspense que estava me deixando irritado. Fiquei pensando em quem poderia ter feito isso.

— Qual é o nome? Desembucha logo! — Sophia me fez um favor em perguntar.

— Neville Blanche — ele disse tranquilamente. — Eu descobri outra coisa... havia digitais por todo o corpo da vítima, e também eram desse cara. Acho que ele não planejou o assassinato, mesmo assim, deve conhecer muitas técnicas de artes marciais ou, no mínimo, defesa pessoal.

— Eu tenho a impressão que já ouvi esse nome em algum lugar — afirmei atônico.

— Eu também. — Sophia olhava para mim com as sobrancelhas erguidas.

— A vítima fez o quê? — O legista estava curioso.

— Muitas coisas — respondeu Sophia. — O cara tinha um milhão de inimigos. Pelo o que parece, nunca fez bem a ninguém em toda sua curta vida. A lista é extensa: assédio denunciado por uma colega de trabalho, estupro, brigas... E ficou preso por cinco anos, por matar a ex-mulher de tanto violentá-la. Ela já o tinha denunciado inúmeras vezes e tinha um pedido de afastamento, que não resolveu nada porque o cara sempre ia até ela.

— Nossa! Ele devia ser muito odiado mesmo.

— Você encontrou algum tipo de droga? — perguntei. O legista estava me incomodando com a demora.

— Sim. Tinha heroína, cocaína, crack e metanfetamina. Esse cara gostava muito da coisa! Eu me admiro que não tenha morrido antes. Se bem que a aparência dele não estava das melhores. Garanto que se ele não tivesse sido assassinado, as drogas logo o matariam.

Estávamos olhando para a vítima sobre a mesa. O legista tinha razão, o cara estava um caco. O cabelo duro e desgrenhado, o corpo esquelético e fedia a álcool e cigarro.

— Então, não foi muito difícil conseguir matá-lo, com essa quantidade absurda de álcool e drogas.

— Não. Foi muito fácil — ele concordou.

— Obrigada — Sophia agradeceu. — Estamos indo. Se tiver alguma novidade, ligue direto para mim — pediu.

Chegamos à delegacia em dez minutos.

— Olá, capitão!

— Venham até a minha sala. AGORA — ele pediu, com a delicadeza de sempre.

Caminhamos até a sala escura, mais uma vez. Ultimamente, estávamos passando por aquela sala muitas vezes.

— O que o legista falou? — Ele foi direto ao ponto.

— Encontrou impressões digitais por todo o corpo, resíduos de pele humana embaixo das unhas e fez a análise do fio de cabelo.

— De quem era? — O capitão estava impaciente.

— Neville Blanche — Sophia e eu falamos ao mesmo tempo.

— Esse nome não me é estranho. Tenho a impressão de que já o ouvi em algum lugar.

— Nós também — falei.

— Já sabemos quem ele é? Qual é o tamanho da ficha criminal dele?

— Íamos fazer isso, quando o senhor nos chamou — Sophia estava mexida com esse caso.

— Então, detetive Courtney, o que está esperando? — Ele passou dos limites. — Vai logo e descobre quem é esse cara!

— Sim, senhor — ela respondeu, sem dar importância para o capitão. Levantou-se e foi para sua mesa. Eu fui atrás.

Nossas mesas estavam uma bagunça. Papéis por todos os lados, copos de café, pastas de arquivos espalhadas e várias páginas abertas no meu computador e no de Sophia.

— Você já pediu o mandado para o juiz? — perguntei.

— É o que eu estou fazendo agora — ela respondeu.

Eu não estava conseguindo decifrá-la. Seu olhar não dizia se estava com medo, raiva ou qualquer outra coisa. Na maioria das vezes eu sabia exatamente o que Sophia estava sentindo, só de olhar em seus olhos castanhos. Mas havia algo diferente neles e eu não sabia o que era. Eu a conhecia há pelo menos cinco anos e nunca a vi assim, estranha, inquieta, indecifrável.

7

Sophia Courtney

O sol já estava se pondo, quando fui embora. Olhei para a torre *Eiffel* e contemplei aquele momento, permitindo-me sentir todo o calor se esvaindo de mim. O dia havia sido muito produtivo. Interrogatório, pistas e um suspeito que logo iria para o *xilindró*. Poderia ter sido perfeito, se o capitão não fosse tão arrogante comigo. Tudo corria bem, até Pierre e eu voltarmos para a delegacia e contarmos as novidades para o capitão. Ele estava muito estranho com esses casos e eu gostaria muito de saber o motivo.

Caminhei devagar até chegar em casa, queria aproveitar aquele momento de paz e *quietude*... A cidade estava barulhenta, mas, por alguns instantes, meu cérebro se aquietou, sem abalar muito as minhas ideias.

Eram sete e meia da noite quando entrei em casa. Anne já estava fazendo a janta.

— Boa noite, mana! — Fui até ela e lhe dei um beijo na testa. — Vou tomar um banho e já volto.

Anne assentiu e eu saí.

A água da banheira estava morna. Afundei por completo e mergulhei a *juba* ruiva no fundo da banheira. Fiquei assim por alguns segundos. Eu até poderia ter ficado mais de um minuto, só que não queria, dessa vez. Tomei um banho mais demorado do que o normal, cerca de meia hora. Eu merecia relaxar um pouco. Aquele fora o meu melhor dia no trabalho, em uma semana tão apreensiva. Dois casos, dois assassinatos e nenhum padrão, isso deixa qualquer departamento de polícia de cabelo em pé.

Saí do banho, vesti o pijama e fui até a cozinha.

— Achei que você tinha dormido na banheira. — Anne me olhou sorrindo, enquanto provava a comida. — Hum! Está uma delícia — exclamou.

— Nossa, irmã! Como você é humilde — brinquei.

Sentamos para comer e por algum tempo foi só que fizemos, sem nenhuma conversa, até que Anne notou que o clima estava começando a ficar estranho e perguntou:

— Como foi no trabalho? Algum progresso?

— Ah! Sim! — respondi animada. — O legista encontrou provas muito importantes na autópsia.

— Sério?! Que ótimo!

— E, não é?!

Ela não gostava do meu trabalho, sempre deixou isso muito claro. Tinha medo que alguma coisa acontecesse. Mas era justamente por isso que eu amava tanto o meu trabalho. Eu poderia nos proteger de tudo! Tinha tanta certeza disso, que nunca entendi o perigo que Anne imaginava existir.

No dia seguinte, Pierre e eu marcamos para tomar café e dar um olá à Susan. Desde o primeiro crime, naquela semana, não fui mais à cafeteria.

— Bom dia, Susan! — cumprimentei-a.

— Bom dia, Sophia! Achei que não viria mais aqui. Imagino o caos que deve estar no departamento.

— Um dos casos já está quase resolvido — comentei, mas percebi, pela cara de assombro dela, que não queria saber de mais nada. — Só precisamos da confirmação do juiz com o mandado para prosseguirmos.

— Que bom... eu acho — ela disse, anotando meu pedido de sempre e pondo o papel na mesa. — O Pierre vem também? — indagou.

— Sim, pode trazer o mesmo para ele — falei, olhando para a porta. — Ah, e pode trazer junto com o meu.

— Bom dia, detetive! — disse Susan. Ela tratava Pierre com muito respeito. Ele instigava o medo com sua postura de autoridade, creio que por ser mais velho e já trabalhar na área há mais tempo que eu.

— Bom dia, querida! — ele respondeu para Susan. — Imagino que já tenha feito nosso pedido, Sophia.

— Bom dia pra você também, Pierre — falei, cética.

— Desculpe, Sophia — ele disse, rindo. — Eu só queria ver a sua cara. Estou com um bom humor hoje que você nem imagina.

— Ah, eu imagino — sorri —, pois eu também estou. Não vejo a hora do juiz liberar o mandado. Preciso muito agradecer esse cara por facilitar, eu achei que seria muito mais difícil.

Susan trouxe os cappuccinos. Para mim, um pote de salada de frutas e para Pierre, uma fatia de torta de morango.

— Obrigada, Susan — agradeci e ela foi para o balcão.

— Mudando de assunto — ele ficou sério. — E o tal Armand?

— O que tem ele? — perguntei, bebericando meu cappuccino.

— Não sei. — Pierre parecia estar pensando em algo. — Acho que estamos deixando passar alguma coisa. Vamos voltar ao legista hoje à tarde, para ver se ele descobriu mais alguma coisa.

— É claro. Quanto ao Armand, tenho a mesma impressão. Vamos checar com o sargento e ver se ele descobriu algo interessante. Quem sabe damos sorte dessa vez.

— Bom dia! — Como se tivesse ouvido a nossa conversa no Café, o sargento veio direto até nós — Vocês precisam ver isso aqui! — disse, esbaforido.

— O que houve? — interroguei.

— Acho que encontramos algo sobre esse tal de Girand.

— Quem?! — Pierre não tinha entendido, mas eu sim.

— Ah, Deus! Onde?

— Será que eu posso saber de quem vocês estão falando? — Pierre bufou.

— Armand, Pierre. Armand Girand, o cara de quem estávamos falando no café.

— Oh, Deus! — gritou. — Fala logo, sargento. O que você descobriu?

— Então, bom... alguém usou um cartão de crédito com esse nome — concluiu.

— Onde? Aqui na área? — perguntei ao olhar para ele.

— Sim.

— Qual loja? — questionei, já pegando o casaco que eu tinha acabado de colocar nas costas da cadeira.

— *Café & Pub* — enfatizou.

— O QUÊ?! — Pierre e eu gritamos em coro. O sargento deu um pulo e nos olhou sério. — Que hora foi isso? Nós acabamos de sair de lá — expliquei.

— Ah, agora entendi o motivo do grito — o sargento falou. — O cartão foi usado exatamente às sete e quarenta e sete.

— Dois minutos depois que saímos. Será possível que ele estava nos espionando? — dirigi-me a Pierre.

— Não pode ser! — Pierre estava convicto disso. — Ele não nos conhece.

— Mas, e se por acaso ele tivesse voltado à pensão e a senhora com quem conversamos tivesse contado sobre nós? Vocês acham isso possível?

— Não creio que ela faria isso — respondeu o sargento. — Não depois do que ela falou sobre ele.

— Espera. — Pierre andava de um lado para o outro. — Pensando no que ela nos disse sobre Armand, sem dúvida ela contaria a ele sobre nós.

— Então, seria mais do que possível ele estar nos espionando e seguindo — concluí.

— Vamos até o *Café* — Pierre anunciou.

— Sargento, olhe todas as câmeras de segurança que existem ao redor do *Café* e alguns quarteirões à frente também.

— OK! — ele respondeu, indo imediatamente para sua mesa.

— Olá, Susan!

— Olá — ela nos olhou assustada, estava estranha.

— Parece que você viu um fantasma. — Pierre ia direto ao assunto. — Você viu esse cara, Susan? Olhe com cuidado. Ele esteve aqui logo depois que saímos, certo?

— Si... sim — ela assentiu, olhando para um papel amassado em sua mão.

— O que é isso? — perguntei, pedindo o papel.

— Não... não é nada — gaguejou, hesitando em me dar o papel, mas o peguei mesmo assim.

— Pierre — chamei. Ele estava olhando para a porta. — Olhe isso. — Dei a ele o papel.

— Foi ele que escreveu, Susan? — Pierre perguntou com cuidado, pois ela estava tremendo.

— Sim. Ele queria que eu falasse de vocês — afirmou.

— Você tem certeza de que era o homem da foto?

— Eu tenho sim — ela disse devagar.

— Diga-me, Susan, o que você falou para ele? — perguntei. — Pode nos contar sem medo — acrescentei, pois ela estava muito assustada.

— Primeiro eu disse que não conhecia os nomes, mas aí ele me olhou de um jeito estranho e perguntou se eu tinha certeza. Perguntou se eu tinha mãe e se gostava dela. Eu assenti e disse apenas que conhecia vocês porque vinham aqui tomar café. Senti que ele queria mais informação e, na verdade, já sabia. Então, eu disse que só sabia que vocês eram detetives. Ele pareceu satisfeito, agradeceu e foi embora.

— Há quanto tempo?

— Uns dez minutos.

— Você viu para que lado ele foi? — Pierre perguntou.

— Lamento — ela respondeu, olhando para o avental.

— Obrigada, Susan. Você vai ficar bem, deveria ir para casa — falei e chamei o dono do *Café*.

— Bom dia — ele me cumprimentou.

— Bom dia, Sr. Marsílio! Acho que a Susan aqui — ele a olhou e pela primeira vez pareceu notar que tinha alguma coisa errada — não está se sentindo muito bem. Acho que seria melhor dispensá-la por hoje. E vamos nos sentar, para que possamos lhe explicar o que houve?

— É claro! — ele concordou imediatamente. — Vá se trocar e pode ir, Susan.

— Ob... obrigada, senhor — ela gaguejou e saiu.

Nós três nos sentamos à mesa mais próxima.

— O senhor já viu esse homem aqui? — Pierre iniciou a conversa.

— Bem, vocês sabem, são muitos clientes. É difícil lembrar de um especifico.

— Seria de grande importância olhar bem para esta foto, pois este indivíduo pode ter acabado de ameaçar a Susan.

Ele engoliu em seco.

— Ele fez o quê?! — indagou. — Por isso vocês sugeriram que ela fosse para casa? Ah, meu Deus! Quando isso aconteceu?

— Não faz muito tempo — respondi. — Ele é suspeito de assassinato.

— O quê?! — O Sr. Marsílio pareceu se preocupar pela primeira vez. — Assassinato? Tem certeza?

— Bom, como somos os investigadores desse caso, ele é nosso suspeito número um.

— Número um? — perguntou amedrontado.

— Sim. Por isso, pedimos ao senhor que olhe com cuidado a foto.

Ele olhou novamente e pareceu se lembrar de alguma coisa.

— Agora estou lembrando. Ele esteve aqui pouco depois que vocês saíram. Foi a Susan que o atendeu. Ela foi muito educada e simpática, como sempre. Lembro-me de que ele foi grosseiro com ela e depois que ele foi embora ela ficou pálida. Na hora eu não dei importância, pensei que talvez fosse um ex-namorado ou coisa parecida. O que ele queria com ela?

— Saber de nós — Pierre disse. — Queria que ela contasse o que sabia da gente, quem somos e se vínhamos sempre aqui.

— Ele já havia vindo aqui antes? — indaguei.

— Não que eu me lembre.

— Certo. — Pierre fez um sinal pra mim. — Obrigado. Qualquer coisa nós entramos em contato.

— Fique ciente que talvez o senhor precise ir até a delegacia, prestar depoimento. Está bem? — expliquei o que Pierre quis dizer com *entrar em contato*.

— Sim, sim — ele assentiu. — Posso ir? Preciso falar com a Susan, saber se ela está bem.

— Claro — respondemos ao mesmo tempo.

Assim que chegamos ao departamento o capitão nos barrou.

— O sargento já me contou. O que vocês descobriram?

— Armand entrou no *Café & Pub* dois minutos depois que saímos, foi atendido por Susan...

— A garçonete que sempre atende vocês? — o capitão me interrompeu.

— Sim, e tem mais. Ele queria saber de mim e da Sophia — Pierre contou e o capitão bufou.

— Isso quer dizer que ele está um passo à nossa frente.

— O senhor está enganado, capitão. Ele não sabe que nós sabemos dele! A não ser que estivesse muito bem escondido, espionando-nos, quando retornamos ao *Café* — retruquei.

— E como descobriram isso? — ele perguntou.

— Quando chegamos — continuei — Susan estava muito pálida e estava segurando um papel amassado. Olhamos o papel, era um recibo do cartão do Armand.

— Só isso? — indagou.

— Não era só isso, capitão — Pierre continuou. — O meu nome e o da Sophia estavam escritos atrás do recibo. Perguntamos a Susan o que era aquilo. Ela explicou que ele queria que ela contasse o que sabia sobre nós. Antes da Susan dizer que sabia apenas que éramos investigadores, ele ameaçou a mãe dela. O Marsílio disse que não viu nada, só que ele foi grosso com a Susan.

8

Sophia Courtney

O capitão gritou:

— Eu quero todo mundo verificando todas as câmeras ao redor do *Café!* — Ele estava olhando para todos os lados. — Sargento! — chamou, quando o viu do outro lado da sala. — Você vai ajudar os detetives. Está encarregado do caso como eles. Faça tudo o que eles pedirem — ordenou, olhando para nós. Assentimos e fomos para nossa mesa.

Coloquei a jaqueta de couro nas costas da cadeira, fiz um coque rebelde e amarrei com a juba mesmo. Olhei para Pierre.

— Mãos à obra! — Pierre disse. — Todos ouviram o capitão.

— Sargento, Jin — chamei-o de longe. — Venha cá.

— Sim, detetive.

— Traga um mapa pra gente, por favor — pedi, antes de me dar conta de que ele já tinha posto um em cima da mesa.

— Isso que é um sargento eficiente — Pierre brincou.

— Tá! Tá! Eu já sabia disso. — O sorriso pareceu contagiar a todos nós. — Vamos ver todas as possíveis fugas, próximo ao *Café & Pub,* e também ao beco onde encontramos a vítima.

Olhamos cada pedacinho do mapa. Não havia muitas possibilidades de fuga. Ele tinha saído como qualquer pessoa.

— Tem que ter alguma brecha. Algum canto que não estamos vendo — o Sargento falou.

— Aqui — apontei. — Essa ruela dá para os restaurantes é próximo ao local onde a vítima estava. O assassino poderia entrar por trás, onde eles jogam o lixo, dizer que era um funcionário novo ou alguém que estava perdido e achava que aquele local era de um conhecido seu. As possibilidades são infinitas. Ele é esperto.

— Certo. — Pierre olhava o mapa com muita atenção. — Aqui e aqui têm câmeras — disse, apontando para o mapa. — Podemos acessá-las.

— Não só *podemos* como *devemos.* — O sargento novato também estava ansioso para pegar o cara.

Pegamos as gravações de segurança e vimos que Armand pegou um táxi e seguiu por uma rua que dava direto na pensão em que estivemos.

— O que vamos fazer? Não temos um mandado — Pierre disse, frustrado.

— Vamos até lá mesmo assim. Se ele não tiver nada a esconder não vai recusar responder algumas das nossas perguntas. De qualquer forma, vamos pedir um depoimento formal. Vamos *avisá-lo* que se ele não cooperar, ainda assim terá que depor mais cedo ou mais tarde.

— Isso — rebateu o sargento, empolgado. — Assim a gente vê qual é a dele e já saberemos com quem estamos lidando.

— Vamos ver o que o capitão acha disso — falei e eles assentiram.

Pierre e eu fomos conversar com o capitão, e o sargento Jin foi ver se encontrava mais alguma coisa relevante. Algum uso no cartão de crédito, de novo.

Eu bati na porta.

— Entrem.

— Capitão, tem um minuto?

— Sim. Pode falar.

— Encontramos Armand nas câmeras. Ele foi em direção à pensão. O que o senhor acha de irmos até lá colher um depoimento informal? — perguntei.

— Acho ótimo!

Assentimos e saímos. Aquela sala ainda me dava calafrios ao entrar.

A pensão estava muito diferente de quando estivemos lá pela primeira vez. Estava mais limpa e organizada, com um aspecto bonito até. Nada comparado à sujeira e a bagunça da primeira vez. Até parece que foi feita uma reforma.

— Bom dia, detetives! — a mesma senhora da outra vez nos cumprimentou. — Você eu não conheço — falou, apontou para o sargento Jin.

— É o Sargento Jin — apresentei-o. — Ele foi designado ao caso também. Está trabalhando conosco hoje — completei.

— Então, senhora... — Pierre chamou a sua atenção. — Podemos conversar?

— Sim, é claro — ela respondeu com simpatia.

— Nós lamentamos, mas precisamos fazer novas perguntas. Surgiram outras supostas provas e precisamos saber... pense bem antes de responder.

— Pode perguntar o que quiser, detetive.

— A senhora viu ou teve contato com Armand Girand outra vez? — Pierre foi direto ao ponto.

— Sim, ele voltou à cidade — ela respondeu imediatamente. Seu olhar era de medo disfarçado. — Posso até chamá-lo, caso queiram.

Pierre olhou-me com assombro. Eu também não consegui disfarçar a surpresa.

— Aqui? Agora? — Eu estava estupefata.

— Sim — ela se levantou. — Só um instante que eu vou chamá-lo. — E sumiu no corredor à nossa frente.

— O que você acha? — sussurrei. — Tá com a arma carregada?

— É claro! — Pierre afirmou. — Sempre estou com ela — falou, batendo com a mão na cintura.

Eles vieram conversando, e a dona da pensão exibia um sorriso inseguro. Ele tocou a sua mão e por instinto, ela a puxou.

— Bom dia — eu disse, mostrando o distintivo e Pierre fez o mesmo. — Sou a detetive Sophia Courtney e este é o detetive Pierre Chermont. Gostaríamos de fazer algumas perguntas. Uma conversa informal. Inicialmente, quero enfatizar que o senhor não é obrigado a responder nada que não queira. Mas a qualquer momento será chamado para depor na delegacia. — Ele assentiu e eu continuei: — O senhor se sente confortável para responder as nossas perguntas?

— Sim. — Ele me encarou e olhou para Pierre com desdém. É um tremendo sem-vergonha, como foi dito.

— Vamos direto ao ponto — Pierre iniciou. — O senhor tentou agarrar Anne Lockhart?

— Sim e não.

— Poderia explicar melhor, por gentileza — pedi.

— Com certeza — ele sorria. — Nós tínhamos um lance, entendem? — Assentimos e ele prosseguiu: — Aí, um ex-namorado otário voltou — ele cuspiu a última palavra. — Pelo que eu sei, ele fez uma coisa com ela há bastante tempo e fugiu. Deixou-a ser presa e tudo. Depois voltou como se nada tivesse acontecido. No dia em que eu fui demitido, *injustamente* — ele enfatizou —, nós estávamos tendo uma conversa nada agradável. Eu tentava colocar juízo na cabeça dela. Disse que estava sendo trouxa por acreditar nele e querer reatar o namoro, depois de tudo o que ele a fez passar.

— O que ele fez que a colocou na cadeia? — Pierre inquiriu.

— Eu não sei dos detalhes, Anne não gostava muito de falar disso. O que eu sei é que eles saiam meio bêbados de uma festa, ele dirigia bêbado, e acabaram provocando um acidente envolvendo outro carro. Eu acho que os caras morreram.

— Eram homens? Quantos? — Pierre indagou.

— Como eu disse, não sei dos detalhes. Não tenho certeza se eram mesmo homens. Poderia ser um casal. — Engoli em seco. Casal que morre em acidente de carro?! — Eu não sei... O que eu sei é que o cara fugiu e a deixou receber toda a culpa. Ela foi até julgada e condenada. Não foi lá uma pena muito coerente com o crime, se querem saber a minha opinião, mas eu a amava.

— Na verdade, não queremos mesmo saber a sua opinião — respondi um tanto ríspida. — Não é nossa função dizer o que achamos de um caso que foi julgado há bastante tempo, como você disse, e investigado por outros policiais. Estamos aqui para solucionar o caso da morte dela e não dizer o quanto o juiz foi injusto ou não.

— Uau! — ele disse. — Está bem, detetive. Acho que isso ficou muito claro. Próxima pergunta.

— Ela ia voltar com o cara? — Pierre perguntou.

— Sinceramente, não sei. — Ele deu de ombros. — Não era mais da minha conta. Ela já havia terminado comigo e eu já não a queria mais. Ela não merecia o meu amor! — exclamou.

— Você a amava?

— No começo sim, mas depois que ela cogitou voltar com um cara que a tinha feito sofrer tanto, vi que não deveria mais amá-la.

— E depois do que você disse a ela, sobre não estar sendo inteligente ao voltar com ele, acha que ela ouviu? Acha que cogitou não voltar mais com ele? Se sim, acha que o ex seria capaz de matá-la por isso? — perguntei.

— Eu não sei o que ela ia fazer, mas acho que sim, ele seria capaz de matá-la.

— Você sabe o nome do sujeito? — Pierre questionou.

— Eu gostaria muito de saber! — exclamou. — Mas não sei.

— Alguma vez você o viu, ou Lockhart falou como ele era fisicamente?

— Lamento, isso é tudo o que eu sei sobre ele.

— Onde você estava no dia em que ela morreu? — Pierre chegou ao ponto principal.

— Estava viajando.

— Alguém poderia confirmar? — rebati.

— Não. Mas eu tenho recibos da pensão em que fiquei.

O sargento observou e ouviu toda a conversa em silêncio, nem parecia estar no mesmo local que nós.

— Pode me passar o número da pensão? — o sargento, enfim, se manifestou e Armand assentiu. Pegou um cartão e entregou ao sargento.

— Aí está! Fale com a Sra. Pietra.

— Itália?! Interessante. O que você fazia por lá? — Jin questionou, ainda perplexo com o cartão.

Ele conhecia o local. Eu podia ver a ansiedade em seus olhos.

— Além do ex-namorado, você acha que alguém teria motivos para querer Lockhart morta? — perguntei.

— Bom, ela usava drogas, então... Se estivesse devendo para alguém, sem dúvida podia ser morta a qualquer momento — declarou.

— Mais alguém?

— Ela também já tinha se envolvido com homens casados, antes de me conhecer, é claro! Talvez alguma esposa que tenha descoberto. Isso seria uma sentença de morte. Ela não se envolvia com homens casados normais, se é que vocês me entendem. — Jin o encarava. — eles eram chefões do crime, do tráfico e se duvidar até da máfia italiana.

— Obrigado. Quero enfatizar que você pode, a qualquer momento, ser chamado para depor — Pierre o alertou.

— Estou ciente — ele respondeu. — Estou à disposição. Caso eu possa ajudar em mais alguma coisa...

— Por enquanto, não. Obrigada — finalizei.

Saímos da pensão com muitas informações. Será mesmo que o ex-namorado faria isso? E quem era ele?

Como se Pierre tivesse lido a minha mente, perguntou:

— Como vamos achar alguém se não temos ideia de como ele é?

— É mais fácil pegar fumaça! — O Sargento estava irritado.

— Você conhece aquele lugar, Jin?

— Sim — ele lamentou.

— Mas por que você parece triste com isso?

— Porque a minha mãe é a dona. — Ele estava cabisbaixo.

— O que tem demais nisso? — Pierre não estava entendendo, assim como eu.

— Bom, a minha mãe não mente. Se ele esteve mesmo lá, ela vai dizer. Desculpem. Eu sempre quis trazê-la para cá. Vai todo tipo de gente naquele lugar e eu nunca gostei.

— O que vocês acharam disso tudo? Acreditam nele?

9

Pierre Chermont

O sol de outono batia na minha janela com vontade. Eram sete horas quando acordei. A conversa com Armand me deu muita coisa para pensar, ele não era o mocinho e eu sabia disso, mas acreditei nele. Ao mesmo tempo, quando penso em Susan e em todo o medo que ela sentiu, eu me pergunto o porquê de não o prendermos por ameaça.

— Bom dia, querido!

— Bom dia, amor! — Dei um beijo em Eloise e ela se espreguiçou.

Levantei e fui tomar uma chuveirada. Eloise foi preparar o nosso café. Eu não iria ao *Café & Pub* hoje, por motivos normais de um investigador de polícia. Ri comigo mesmo. *Que ironia boba! Eu não acordei ainda. Não de verdade,* pensei.

Quando entrei na cozinha, senti aquele cheiro delicioso de café, o que fez a minha barriga roncar.

— Nossa! — disse Elo. — Você deve estar com fome mesmo.

— Muita — respondi, pegando uma xícara de café.

Ela me olhava sorrindo. Foi com esse sorriso que me conquistou. Eu adorava como ela, inconscientemente, fazia-me lembrar do dia em que nos conhecemos.

— O que foi? — ela perguntou.

— Foi esse sorriso — respondi. — Ele me conquista de novo todos os dias.

Terminamos de tomar o café em silêncio. Dei um beijo de despedida e fui para o trabalho.

O clima na delegacia estava pesado. Passaram-se dois dias, desde que conseguimos as provas com o legista, de que Neville Blanche era o nosso assassino. Contudo, ainda tínhamos o caso da Anne Lockhart. Estávamos tão longe de resolvê-lo quanto antes. Nada se encaixava. Não havia muito com a autópsia que pudesse nos ajudar, o assassino foi cuidadoso e profissional.

— Bom dia, Pierre! — Sophia me cumprimentou assim que colocou os pés no departamento.

— Soph... — fui interrompido pelo grito do capitão.

— CHEGOOU! PIERRE. SOPHIA. MANDADO PARA NEVILLE BLANCHE! VÃO! — bradou, expulsando-nos.

Chegamos ao elevador correndo.

— Vai! Vai! Vai! — Sophia falava, apertando o botão do elevador sem parar. Parecia querer prender esse cara tanto quanto o capitão, eles estavam desesperados para isso.

— Sophia — falei com calma —, se você, sem querer, quebrar esses botões, nós teremos que ir de escada.

Ela fez uma careta e o elevador parou.

— Desçam logo! — ela falou para as muitas pessoas que estavam lá dentro. — Nós temos um assassino perigoso para prender.

— Você quer muito prender esse cara, não é? — indaguei, confuso.

— Por quê? Você não quer? — ela me respondeu com outra pergunta.

As pessoas saíram e olharam feio para Sophia, desaprovando sua atitude.

O nosso andar era o último do prédio. Ou seja, o elevador parou e parou muitas vezes antes de chegarmos ao estacionamento, o que deixava Sophia cada vez mais brava.

— E se ele descobriu que conseguimos um mandado e fugiu do país? — ela perguntava para si. — Toda essa espera pra quê? Correr atrás de um fantasma?! — continuou.

Enfim, chegamos. Joguei a chave para ela.

— Não esquece do cinto — ela declarou. E eu não gostei nada disso.

— Eu nunca esqueço. Somos policiais, lembra?

— Você vai precisar mais dele hoje do que nunca! — rebateu.

Saímos do estacionamento escuro em ziguezague. Ela ultrapassava os carros que entravam e saiam. Ouvimos várias buzinas. Sophia pegou o *giroflex* e colocou em cima do carro. As pessoas começaram a entender que era uma emergência e abriram caminho.

O trânsito estava um pouco congestionado, mas a sirene ligada fazia com que os carros saíssem da frente para passarmos. Eu cheguei a me segurar no banco, nunca vi Sophia correr tanto! Ele dirigiu assim até a casa de Neville, que fica há pelo menos vinte minutos de onde estávamos. Ela faz em cinco.

— Uau! Eu nunca tinha visto você fazendo um cavalinho de pau — declarei. Ela riu e saiu do carro, sacou a arma e foi em silêncio até a porta do suspeito.

— Neville Blanche, abra a porta! — Apontei a janela para Sophia, ela assentiu e olhou com cautela, a arma engatilhada. — Se não abrir, vamos arrombar! — gritei e um homem baixo, magro, quase esquelético, abriu a porta e nos olhou sem entender o que estava acontecendo.

— Bom dia — cumprimentou. — Entrem.

Ele não parecia preocupado, como se soubesse o motivo da nossa visita.

— Vire-se — Sophia falou, pegando a algema. — Você precisa nos acompanhar até a delegacia.

Ele fez o que ela pediu sem questionar e Sophia o levou para o carro.

— Tudo o que disser pode e será usado contra você no tribunal. Você tem o direito de permanecer calado e caso não tenha condições de contratar um advogado, temos vários na defensoria pública — ela informou e ele assentiu, entrando no carro.

Dessa vez, eu dirigi.

Chegamos à delegacia e o capitão já estava nos esperando na porta.

— Então, esse é...?

— Sim, vamos levá-lo para a sala de interrogatório — Sophia respondeu, conduzindo-o.

— Você sabe por que está aqui? — indaguei. Ele me olhou e não respondeu.

— Ele fez uma pergunta — Sophia falou, levantando a voz. — Você sabe por que está aqui?!

— Não.

— Você conhecia Adrien Esme?

— Mais ou menos.

— Explique-se — eu disse. Isso estava começando a esquentar.

— Eu nunca havia falado com ele antes da morte de Emmanuelle — admitiu.

— Você conhecia bem Emmanuelle? — Sophia estava sorrindo.

— Eu fui o segundo motivo daquele crápula ter matado ela. — Ele estava destruído.

— Qual foi o primeiro?

— O primeiro? — Ele repetiu, dando um sorriso irônico. — O primeiro era que ele fazia isso com ela muito antes de eu aparecer — afirmou. — Isso é muito fácil de eu provar e vocês, provavelmente, já viram as inúmeras denúncias feitas por ela ao longo dos anos. Estou certo? — Assenti, confirmando. — Como eu imaginava — ele falou mais para si do que para nós. — Ele fazia isso porque era doente.

— Aonde você entra nessa história? — Sophia o questionou, olhando no fundo dos seus olhos tristes e culpados.

— Eu a conheci quando ela trabalhava no supermercado do bairro. — Ele engoliu em seco. — Ela havia se separado dele há bastante tempo e eu conhecia toda sua história. Todos conheciam.

— Todos quem? — Sophia perguntou.

— Todos do supermercado, todos do bairro, enfim, todos sabiam o que ele fazia com ela. — Ele bufou. — Ela tentou diversas vezes... — disse vagamente

— Será que você poderia ser mais claro? — Sophia estava irritada.

— Ela tentou várias vezes denunciá-lo. Infelizmente, a nossa justiça é em certo ponto falha. Desculpem-me por isso, mas neste caso é a verdade.

Ele estava sofrendo.

— Entendemos. Vimos na ficha dela, sobre o pedido de restrição.

— Onde você estava ontem à noite? — Sophia estava confiante de que ele não tinha um bom álibi.

— Bem, fui beber num bar do bairro e depois andei pelo centro. Parei na Torre.

Só faltava Sophia dar pulos de alegria. Nunca a vi tão entusiasmada quando concluíamos um caso e esse não seria o primeiro que resolvemos em um dia.

— Você se encontrou com alguém? — Ela sorria de orelha a orelha, prevendo a resposta.

— Não! — ele afirmou com tanta convicção que se não tivéssemos o cabelo jamais suspeitaríamos dele.

— Você tem certeza? — ela insistiu. — Volte um pouquinho atrás na sua memória. Quem sabe você se encontrou com um homem chamado Adrien Esme?

— Ah, só agora estou entendendo aonde vocês querem chegar — concluiu.

— Jura?! — ela perguntou, com um desdém inconfundível. — Só agora? — ironizou.

— Pensando bem... — ele disse. — Agora eu me lembro. Eu e o Adrien nos encontramos por acaso na Torre. Desculpem por não ter lembrado antes, é que eu não costumo me lembrar de coisas tão insignificantes como essa. — Ele não suspeitava de que tínhamos uma boa prova para mandar à promotoria.

— Pode nos contar sobre o que conversaram?

— É claro. Na verdade, nós não conversamos muito. Ele estava bêbado, como sempre. Eu admito que também tinha bebido algumas doses. Nós brigamos. Eu ainda sinto muita raiva pelo o que ele fez com a Emma e não me conformo por ele não ter apodrecido na cadeia. Foi pego com o sangue dela nas mãos! Foi em flagrante! — Ele mostrava a sua indignação sem medo. — Demos umas porradas um no outro e eu fui para a casa um pouco melhor. Foi isso que aconteceu.

— Então, você quer dizer que é pura coincidência ter brigado com Adrien na noite e no local em que ele foi morto?

Sophia não conseguia esconder a tremenda felicidade que estava sentindo.

— Eu acho que foi muita sorte do assassino e muito azar da minha parte — ele declarou.

— Você — Sophia pausou o que ia falar e olhou no fundo dos seus olhos. — acha mesmo que a promotoria vai acreditar nisso, contra a prova que nós temos?

— Prova?! — Pela primeira vez ele demonstrou medo.

Saímos da sala de interrogatório e o sargento o levou para a cela. Encontramos o capitão na sala ao lado.

— O que o senhor achou? — Sophia perguntou. — Acredita nele?

— Bom, achei que ele foi sincero. Mas será que isso poderia ser um engano? Será que o assassino teve tanta sorte e Neville brigou com a vítima pouco antes dele aparecer e o matá-lo?

— Acho pouco provável — respondi.

A tarde passou numa rapidez estrondosa. Creio que por estarmos um pouco mais tranquilos quanto, pelo menos, a um dos crimes.

Sophia ficou no departamento, resolvendo e encaminhando a papelada, enquanto eu passei no legista para ver se ele tinha encontrado algo a mais na autopsia da vítima.

— Boa tarde — cumprimentei.

— Boa tarde, Pierre! Onde está a Sophia? Achei que ela estava interessadíssima nesse caso.

— Ela está no departamento, resolvendo a papelada da prisão do Neville e fazendo o relatório do depoimento dele. Por falar nisso — sorri —, obrigado pela ajuda. Os resíduos que você achou foram as melhores provas contra ele — disse, agradecido.

— Eu só fiz o meu trabalho — ele respondeu sorrindo. — Mas obrigado, mesmo assim!

— Agora, quero saber o que você descobriu na autopsia da Anne. — Falar o nome da vítima ainda me dava calafrios, não podia evitar pensar na irmã de Sophia.

— Não descobri muita coisa que vá ajudar no caso. Mas... a causa da morte foi sufocamento. Ela levou um golpe certeiro no pescoço. Não, não foi por um mata-leão — ele disse antes mesmo de eu perguntar, e explicou: — A vítima tentou se defender antes disso. Está vendo esses hematomas na perna? — perguntou, apontando para várias manchas na pele dela. — Isso foi de um tombo. Creio que tenha caído em cima de alguma coisa.

— Alguma digital? Resíduos de alguém? Nada mesmo? — perguntei, enquanto ele negava com a cabeça.

— Esse assassino é esperto e complexo. Não deixou nada que pudéssemos detectar. Nenhum vestígio, nada.

Fui embora refletindo sobre os dois casos. Não poderia ser a mesma pessoa. Não havia padrão nas mortes, e Neville estava preso. Já havíamos solucionado o caso da torre.

Meus pensamentos foram interrompidos pelo toque do celular.

— Detetive Chermont — falei, ao atender o telefone. — Sim, estou a caminho. Já avisaram a Sophia? — indaguei. — Como assim ela não pode ir? — Ouvi com atenção cada palavra que o policial dizia. — Deus! Não a deixem sair daí!

Desliguei, acionei a sirene e acelerei, ultrapassando todos os carros.

10

Sophia Courtney

Levei dez minutos para chegar à minha rua. Podia ver meu prédio de onde estava. *Aconteceu alguma coisa,* pensei. Polícia, ambulância e muita gente estavam no lado de fora do prédio.

— Lamento, senhora, ninguém tem permissão de entrar no prédio. Isto é uma investigação policial — disse o homem fardado de segurança.

— Prazer. Sou a detetive Sophia Courtney — falei, mostrando o distintivo. — Eu vou entrar.

Ele abriu passagem e fui em direção ao alvoroço. Quando me dei conta estava no meu andar. Minha porta.

De longe, avistei o sargento Jin. Ele secava o suor da testa com as costas da mão. Fui correndo até ele.

— Jin? — chamei. Ele ficou branco como a neve e saiu correndo porta adentro do *meu* apartamento. — ANNE — gritei. — Ele me barrou.

— Lamento, Sophia. Você não pode entrar — ele disse, como se pudesse me impedir.

— SOPHIA, NÃO! — ouvi Pierre gritar, enquanto eu corria para ela.

As minhas pernas pararam de responder aos comandos do meu cérebro. Eu queria continuar correndo e nunca mais parar. Queria correr ao seu encontro. Como eu pude deixar isso acontecer? Eu deveria tê-la protegido, fiz *tudo* para protegê-la. TUDO!

Pierre me agarrou. Eu gritava, mas ninguém me ouvia. Eu gritava para eles ajudarem-na, pois eu não consegui. Eu decepcionei os meus pais e a Anne. Minha Anne!

Vê-la envolta por todo aquele sangue... O seu sangue quase me enlouqueceu.

— Sophia, para! — o capitão gritava comigo, tentando me segurar, mas eu consegui escapar. Fui para o lado dela, da minha irmãzinha.

Eu gritei, mas minha voz não saía. Ninguém me ouvia. Ninguém seria capaz de ouvir o meu grito. Ah, meu Deus! Parecia que alguém tinha cortado um pedaço de mim. A minha carne gritava.

Eu estou sozinha! Não tenho mais ninguém!

— Eu vou pegar quem fez isso! VOU MATAR QUEM FEZ ISSO! — gritei. — Ah, se vou!

— Você precisa sair daqui — Pierre falou, olhando para uma Eloise muito preocupada na porta.

Pierre me tirou lá de dentro. Eu havia percebido a cara de espanto com que ele olhou para Anne, ou o que restou dela. Eu queria ficar, eu precisava, mas fui impedida. Talvez, todos estivessem certos e eu não devesse estar ali, perto da minha irmã assassinada.

Mesmo querendo ficar ao lado de Anne, fui com Eloise para a sua casa. Quando chegamos, ela me deu um copo com água, mas eu sabia que ela havia posto algo para eu dormir. Mesmo assim, não questionei. Eu não sabia mais o que era certo fazer.

Enquanto eu estava vulnerável, Pierre faria o nosso trabalho, e eu tenho certeza que ele encontraria alguma prova que o maldito assassino tenha deixado passar.

Detetive Chermont

— Eu encontrei alguma coisa — disse ao sargento. — É uma carta. Tenho certeza que foi a Anne quem escreveu, conheço a letra dela. Meu Deus! Ela foi selada com sangue! — declarei, estupefato. — Acho que é o sangue da Anne. Está destinada à Sophia.

Peguei a carta, guardei numa embalagem plástica e fui procurar por sinais de arrombamento. Precisava descobrir por onde o assassino poderia ter saído, pois o segurança disse que não viu ninguém estranho saindo do prédio, nem entrando.

— Detetive — Jin me chamou. — A janela da sacada está suja de sangue, e aberta. — Ele observou, espantado. — Será possível que o assassino tenha saído pela sacada do quinto andar? Como? E o que esta moça fez para merecer uma morte tão cruel?

— Sargento, o seu trabalho não é especular sobre o motivo, mas encontrar evidências do crime, para que possamos descobrir quem fez isso — falei irritado, os olhos faiscando de raiva. — Espero ter sido claro.

Anne era como uma filha para mim e eu não admitiria nenhuma gracinha da parte de ninguém. Nada que tirasse o foco do objetivo, que era encontrar o assassino.

Se eu fosse o assassino, por onde fugiria? Pensei.

Precisava refazer os passos dele, mas para isso tinha que pensar como ele. *Bom... têm manchas de sangue na sacada, vamos ver se encontramos mais alguma coisa.*

Caminhei lentamente até a sacada, olhando para todos os lados, esperando encontrar alguma pista.

Claro, pensei. *As escadas externas*.

— Achei alguma coisa — gritei da sacada. — Mais sangue no corrimão da escada.

Nós vamos pegar você, seu maldito!

Os peritos vieram em questão de segundos. Bateram várias fotos do sangue e nesse meio tempo o sargento Jin achou o celular da vítima.

— Detetive, encontrei mais alguma coisa — disse ele, o que fez com que eu voltasse correndo. — O celular está ligado e tem uma mensagem não enviada.

— Não leia! — Peguei o celular das mãos do sargento. — Bom trabalho — falei.

— Detetive — disse um dos peritos —, terminamos por aqui.

— Obrigado. Qualquer coisa não hesite em me ligar, por favor. Sargento Jin, você pode ir com os peritos. Acabamos por aqui.

— Detetive — disse Jin —, você não virá conosco?

— Não — respondi — Sophia precisa de mim.

Jin deu de ombros e foi.

Passados trinta minutos, estava em casa.

— Olá, *mon amour* — disse a Eloise. — Como ela está?

— Ela estava péssima, por isso dei um remédio para dormir. Coloquei-a no quarto de hóspedes. Ela deve ficar aqui, não quero que fique sozinha naquele apartamento.

— Sim, Eloise. Eu jamais a deixaria naquele lugar sozinha. E depois de hoje, não acho uma boa ideia ela voltar lá nunca mais — concordei, permitindo que escorresse uma lágrima.

Sophia

O dia amanheceu com uma chuva torrencial. Não era só eu que estava de luto, o céu também estava chorando.

Com certeza, irmãzinha, você está ao lado do papai, da mamãe e da vovó. Pensei.

Quando levantei da cama, percebi que estava na casa de Eloise e Pierre. Reconheci a decoração linda. Abajur ao lado da cama, penteadeira com espelho, cortinas longas e douradas, e o tapete da mesma cor, no centro do quarto. Impossível não perceber o bom gosto dela.

Anne adorava este quarto, essa casa, essas pessoas... Não tinha o que ela reclamasse. Não sei se um dia responderia às perguntas: *por que alguém faria isso com você, Anne? Por quê? O que você fez?*

Quando descia a escada, vi que Pierre subia com uma bandeja de café, como se eu estivesse com fome. Eu sabia que eles estavam fazendo tudo para o meu bem.

— Bom dia, Sophia. Eu já estava levando o seu café — ele disse.

— Obrigada, mas não estou sentindo fome. Na verdade, não sinto mais nada, além da dor. A sensação que tenho é que alguém cavou um buraco dentro de mim, um buraco que jamais se fechará. Você não imagina a dor que estou sentindo, Pierre. — E desatei a chorar. As lágrimas vinham com a força de uma avalanche. — Pelo o que eu me lembro, nem quando papai e mamãe morreram eu senti tanta dor. Deve ser porque, agora, não tenho mais ninguém.

— Sophia... — disse Pierre, com o olhar triste. — Venha aqui.

Ele me abraçou com toda a sua alma, como papai faria se estivesse aqui. Eu tinha percebido que ele tentara amenizar a minha dor. Tentara me mostrar sua compaixão pelo que estava acontecendo naquele momento. Sei que eles amavam Anne tanto quanto eu, mas eles têm o Alaric, e tem um ao outro. Eu só tinha Anne... só a Anne. E agora não tenho mais ninguém.

Pierre me abraçou mais forte ainda e percebi que ele chorava também.

— Sophia, nunca mais diga que não tem ninguém. E eu e a Eloise, não somos nada? E o Alaric? Você sabe o quanto nós a amamos e o quanto amávamos a Anne... Não vai ser fácil para nenhum de nós. Mas eu prometo que vou pegar aquele maldito, nem que seja a última coisa que eu faça na vida. Você me ouviu? — disse ele, com sangue nos olhos.

Eu sabia que eles amavam a Anne, e sabia o quanto eles me amam também. Perdi todos que amei... todos.

Agora tenho eles. Mas, e se o amor me tirar eles também? Eu não vou aguentar.

Depois de um minuto, que pareceram horas refletindo, resolvi me sentar à mesa e tomar o café. Afinal, eles estavam fazendo tudo para que eu me sentisse um pouco melhor e eu os amava muito por isso.

— Pierre — falei, enquanto secava a última lágrima e me sentava à mesa —, o que você encontrou depois que eu saí do apartamento? — perguntei, com muito medo da resposta.

— Sophia — disse ele —, não vamos pensar nisto agora. Ainda está muito cedo para descobrir algo, e você vai precisar se recuperar... Todos nós precisamos.

Percebi que ele estava engolindo o choro, provavelmente para não me deixar pior do que eu estava. Mas pelo tanto que eu chorei e pela dor que ainda sentia, acredito que nada mais poderá me faça sofrer de novo.

— Pierre, diga, por favor — pedi. — Eu preciso saber de tudo, porque logo nós prenderemos quem cometeu essa atrocidade, pode ter certeza. — O desejo de justiça me dava força.

Pierre relutou, mas por fim concordou.

— A causa exata da morte ainda não sabemos, mas percebi que havia sangue na varanda. Suponho que o assassino saiu pela varanda e depois foi para a escada de emergência, o que explicaria ninguém ter sido visto saindo do prédio. Imagino que ele teve um cúmplice para entrar sem levantar suspeitas. É muito estranho as câmeras do seu corredor terem sido levadas para manutenção bem no dia de um assassinato.

— Entendi. A pergunta agora é: *quem é o cumplice e por que matariam a Anne?* Ela mal saía de casa. Era muito cuidadosa com tudo — enquanto dizia isso, repassei mentalmente todas as pessoas que a Anne conhecia. — Pierre, quando iremos falar com o legista? — perguntei, ansiosíssima.

— Vamos deixar passar essa semana, Sophia. Depois trabalharemos para pegar o assassino — ele respondeu com o semblante preocupado e eu tive a leve impressão de que ele estava escondendo algo de mim

No dia seguinte o clima ainda estava tenso na casa. Eles evitavam falar o nome da Anne, a não ser que eu perguntasse algo. Mesmo assim estavam agindo de forma estranha e pareciam muito preocupados comigo, como se outra bomba fosse explodir em breve em cima dos meus ombros.

Na noite passada fingi engolir o comprimido que Eloise me deu para dormir. Fiquei quase a noite toda em claro, com os olhos bem abertos, como se a qualquer momento Anne fosse abrir a porta do quarto e me dizer que tudo não passara de um trágico engano, ou, quem sabe, um pesadelo muito intenso e verdadeiro. Quando acordei, percebi que o que eu esperava ter sido um pesadelo era apenas um lindo sonho que a minha mente havia projetado, na tentativa de encobrir minha dor. Mas eu já não chorava mais. Apenas pensava e lembrava a todo instante o motivo de estar nesta casa. Era impossível não lembrar.

Tudo havia acontecido tão rápido... A minha menininha havia sido tirada à força dos meus braços. Arrependo-me de não lhe ter abraçado mais e dito o quanto eu a amava todos os dias. Arrependo-me de não ter passado o tempo necessário ao seu lado. Não somos preparados emocionalmente para a perda. Não sei se um dia chegaremos a esse ponto. Talvez, a dor passe com o tempo. Talvez, as pessoas que dizem que o tempo cura tudo estejam certas. E o que ficará serão as boas lembranças, as risadas, o brilho dos olhos... As lembranças são a única coisa que ninguém pode nos tirar. Algumas coisas somos nós que decidimos, mas nem tudo está em nossas mãos. Fazê-las valer a pena, dar-lhes um sentido para fazerem algo de valor, algo bom, alguma coisa que possa mostrar o amor que sentimos pelas pessoas.

A cura dos medos, traumas e más lembranças começa com uma escolha. A escolha de ser feliz, com elas ou sem elas. O que pensamos e o que fazemos diz quem nós somos. As escolhas mudam as pessoas, para o bem ou o mal.

A escolha que eu fiz, de me tornar policial e depois detetive, não mudou só o meu destino, mas o da Anne também. Agora ela se foi por causa de uma escolha que *eu* fiz.

Preciso arcar com as consequências, ou enlouquecer com elas, pensei.

11

Sophia Courtney

Dizem que o tempo cura tudo, mas eu não sei não. Acho que a gente se acostuma com a perda e o que fica é a imensa saudade. Uns dias são piores, outros melhores. Não! O tempo não cura, ele só ameniza a dor.

Eu continuo morando com os Chermont. Eles não me deixarão sair daqui tão cedo, disso eu tenho certeza. Ao menos, Eloise parou de me dar os comprimidos para dormir.

O grande dia. Se isso acontecesse há dezesseis dias, eu estaria que era só alegria, mas como nem tudo é perfeito e não temos o controle de todas as coisas, *o grande dia* é hoje.

Levantei-me da cama, depois dessa breve reflexão e olhei-me no espelho. Não estava tão ruim assim. Não chorei tanto na noite passada. Até dormi, coisa que não acontecia com muita frequência nos últimos dias, a não ser que tomasse os compridos de Eloise.

Pierre queria me contar algo importante, contudo, eu sabia que ele ainda não contara por achar que eu não estava preparada. Sabia que era algo ruim, algo relacionado à Anne, mas hoje eu conversaria com ele. O que quer que fosse, não deveria ser tão ruim assim — eu não tinha ideia do que pensava.

Dei uma boa olhada no meu reflexo antes de sair do banheiro. Meu cabelo ruivo estava bagunçado como sempre, meus olhos estavam nublados e eu não enxergava muita vida na escuridão que eles se tornaram.

Desci a escada em silêncio. Não queria incomodá-los, pois estavam tendo uma conversa particular, mas não pude deixar de ouvir: "*você tem certeza de que está preparado para contar*?".

— Bom dia — foi a única coisa que consegui dizer. Eles apenas assentiram e tomamos o café em silêncio.

Alaric não estava em casa. Eu não o vi nos últimos dias. Éramos apenas eu, Pierre e Eloise, naquele silêncio constrangedor à mesa.

Bebi o último gole de café e me levantei.

— Vou pegar as minhas coisas e esperar no carro — anunciei e os observei me encarando.

— Você quer mesmo dirigir, Sophia? — Pierre questionou e eu disse para ele não se preocupar tanto, que eu estava bem.

— Se você tem certeza... por mim, tudo bem.

Apenas agradeci e disse que voltava logo. Subi para o meu *suposto* quarto, peguei a bolsa, os óculos e desci em disparada para a sala.

Infelizmente, Eloise não poderia ir à delegacia me prestigiar, mas como a cerimonia seria transmitida pela TV, ela veria desta forma.

Dei uma olhada em Eloise e vi que ela estava prestes a chorar. Corri para o banheiro, não queria ser motivo de tristeza para ninguém, ou que o meu luto os afetasse. Logo eles, as pessoas que foram mais legais comigo desde a morte *dela*.

Morte, essa palavra me perseguia, mas o meu trabalho dependia dela e isso nunca tinha sido tão assustador, até agora!

Eloise me esperava na porta. Deu-me um longo beijo na bochecha e disse que me amava. É claro que eu não tinha nenhuma dúvida sobre isso. Eles me acolheram na própria casa e me tratavam como se eu fosse uma filha.

Embarcamos no carro e seguimos em direção à delegacia.

— Pierre, mais tarde, quando tudo isso terminar, vamos conversar sobre o que você está me escondendo — eu disse, e sem deixá-lo contestar, prossegui: — Sei que você ainda não me contou tudo o que descobriu sobre a Anne, mas eu estou bem. Você precisa me dar um voto de confiança.

Ele me olhou desconfiado, sem piscar.

— Sophia, eu sempre soube que você é esperta. Fico feliz que tenha me entendido. Eloise está com muito medo do que está por vir. Você sabe que não vem notícia boa, não é?

— Eu percebi que ela não está nada bem. Precisei me conter várias vezes para não falar com ela sobre este assunto. Hoje mesmo, no café da manhã, precisei morder a língua para não falar. Notei o quão preocupada ela estava.

Nossa conversa não durou mais que cinco minutos e fizemos o restante do trajeto em silencio, até a delegacia.

Logo que chegamos, reconheci o carro do Lamartine, *Journalistes Audacieux*. Impossível não notar, já que o jornal tinha bons carros. Na verdade, eram maravilhosos. Podia-se perceber o quão requintada era a empresa jornalística, pois o carro se destacava em meio à tantos outros.

Não havia percebido antes, mas eu estava nervosa. Nunca tive problemas em me sentar no auditório e fazer perguntas, mas agora as perguntas seriam dirigidas a mim. Respirei fundo e saí do carro.

Eu havia pedido um minuto para Pierre. Quando tomei coragem para sair, vi que ele estava me esperando na porta do prédio.

— Você nunca me escuta, né Pierre?! — falei, não por maldade, mas por amor. Tenho certeza que meu pai está orgulhoso por tê-lo escolhido para ser a minha figura paterna.

Pensei em papai lá no céu, dizendo: *essa é a minha garota! Tenho muito orgulho de você, Sophia.*

Lembrei-me dele sempre me dizer estas coisas, quase todas as vezes que eu trazia uma prova do colégio ou o boletim. Ele e mamãe diziam coisas deste tipo e me davam um abraço tão apertado que eu achava que um dia quebrariam meus ossos.

Lágrimas se formaram nos meus olhos ao me lembrar deles. Eu não estava triste, pelo contrário, estava satisfeita e feliz comigo mesma. Sou grata aos meus pais por terem me moldado e me ensinado a ser a mulher que sou hoje, mesmo que tenhamos passado apenas quinze anos juntos. Eu era só uma garota quando eles partiram, mas foram ótimos pais. Ainda sinto a presença deles comigo e sei que nunca me abandonaram. Quando as coisas estavam difíceis e eu queria jogar tudo para o alto e desistir, ouvia aquelas vozes suaves no meu ouvido, dizendo para continuar. *Continue a nadar...*

Dei um longo abraço em Pierre e seguimos em silêncio para o auditório. Ele não precisou dizer nada, pois sabia que era um abraço de agradecimento e sorriu quando eu o soltei.

Cada passo que dávamos nos aproximava mais das pessoas: repórteres, policiais do nosso batalhão e das regiões próximas.

— Bom dia, senhoras e senhores! — disse o capitão. — É com muito orgulho que dou a palavra a detetive que está há menos tempo conosco, cinco anos e ela já mostrou do que é capaz. Contudo, não podíamos esperar menos dela, quando seu parceiro é o nosso melhor detetive: Pierre Chermont.

O capitão nos chamou à frente.

— Obrigada, capitão! — agradeci e comecei meu discurso ensaiado, mas acabei não dizendo o que tinha preparado. — Tenho muito orgulho de ser sua parceira, Pierre! — afirmei. —

Muito orgulho mesmo. Você não é só um parceiro incrível, mas um paizão pra mim. — Pierre, que era tão duro quanto uma rocha, deixou escapar uma lágrima na frente de todos. — Sem você, nós jamais teríamos conseguido.

As pessoas nos olhavam ansiosas. Os flashes estavam me cegando. Eu não gostava tanto assim dessas declarações à imprensa, mas a cidade merecia saber, afinal, o assassino estava preso.

Foi a vez de Pierre dar sua declaração e confirmar que Neville Blanche era o *Assassino da Torre*.

— Bom dia a todos! — cumprimentou. — Sophia, é bom saber que eu fiz um bom trabalho com você! — afirmou sorrindo, um sorriso libertador. — Agora, vamos às notícias dessa manhã. Gostaria de anunciar oficialmente que concluímos o caso do Assassino da Torre, Neville Blanche.

A primeira mão se ergueu com a maior rapidez.

— Detetives — era o mesmo homem que irritara o capitão na última coletiva —, se me permitem, como vocês tiveram certeza de que ele é o assassino?

— Provas concretas foram encontradas na autópsia que foi feita na vítima — respondi.

— Poderiam nos informar quais foram as provas? — O mesmo jornalista perguntou.

— É claro! Várias impressões digitais espalhadas pelo corpo da vítima, resíduos de pele do suspeito debaixo das unhas da vítima e um fio de cabelo.

Ele pareceu satisfeito com a minha resposta e não fez mais nenhuma pergunta.

E agora? Como será daqui para frente? Estava passando um longo filme na minha cabeça, toda a trajetória que percorri para chegar onde estou hoje.

Olhei nos olhos do capitão e vi que eles refletiam orgulho. Talvez de mim ou, quem sabe, de si mesmo. Não sei, mas gostaria muito de saber. Talvez um dia eu pergunte.

Ele olhava seriamente nos meus olhos e me deu um pequeno abraço, antes de voltar ao microfone.

— Parabéns, Sophia! Você é merecedora deste distintivo, muitos não têm a sua coragem — o capitão declarou e passou o microfone para Pierre.

— Devo dizer, rapazes, que vocês precisarão se cuidar com esta garotinha aqui — Pierre disse, rindo.

Confesso que sorri de orelha a orelha, quando percebi a felicidade de Pierre. Peguei o microfone da sua mão e disse:

— Obrigada, Pierre! *Nós* conseguimos.

Finalizamos a sessão de perguntas e fomos para o coquetel, organizado apenas para os que pertenciam ao nosso batalhão.

Conversei com o capitão, que parecia aliviado por termos solucionado o caso. Ele estava satisfeito, e sorria, coisa que não se via com muita frequência.

Eloise esperava ansiosa na porta. Assim que me viu, deu-me aquele abraço aconchegante. Entramos e depois de todos nós nos sentarmos no sofá, fui direto ao assunto.

— Eloh, querida, eu sei que você e Pierre estavam me escondendo algo sobre a Anne. Imagino que seja algo grave, mas como você pode ver, por este distintivo no meu peito, estou mais do que preparada para ouvir e, principalmente, para resolver o caso.

Ela respirou fundo e olhou para Pierre, demonstrando medo.

— Fique tranquila, *mon amour* — disse Pierre —, ela está preparada. E precisamos resolver o caso. Só conseguiremos se trabalharmos juntos. — Ele olhava para ela e eu pude perceber que estava se preparando para contar. Então, Pierre prosseguiu:

— Sophia, nós encontramos uma carta na mão de Anne. Estava lacrada e destinada a você. Tenho certeza que foi ela quem escreveu. Eu reconheceria aquela letra em qualquer lugar — ele desviou os olhos. Eloise estava suando e eu percebi seu nervosismo só de olhar para ela. — E isso não é tudo. A carta foi selada com o sangue de Anne — Pierre concluiu. — Sinto muito.

Não vou mentir e dizer que não estava em estado de choque, porque eu estava. Fiquei abismada com o que acabara de ouvir.

Pierre abriu uma bolsa esquisita e me deu o que parecia ser uma carta. Não uma simples carta de despedida. Não mesmo! Era uma carta horrível! O papel era preto e meu nome estava escrito com tinta branca. Mas o pior de tudo era aquele selo... um vermelho-vivo de sangue. Aquela letra tão perfeita, escrita desta forma terrível...

Eu já não sabia mais o que pensar. O coração queria pular do peito e sair correndo, fugir desse show de horrores.

A pergunta intrigante era: *quem teria tido essa ideia e por quê?* Pois para mim estava claro que aquilo não tinha partido de Anne.

Vendo que eu não abrira a boca, Pierre tomou coragem e me fez a seguinte pergunta:

— Sophia, você está entendendo o que acabou de acontecer?

Não! Eu não estou entendo. Tentei dizer, mas as palavras não saíam, elas apenas vagavam no meu cérebro.

Pierre, percebendo que eu não responderia nada, respirou fundo e me disse:

— Sophia, você é o alvo! Ele quer lhe atingir, por isso usou Anne. Creio que, ele ou ela, imaginou que arrancaria o seu coração com as mãos se fizesse isso. Mas a pergunta que precisamos responder é: *por que alguém quer lhe atingir? O que você fez?*

A minha cabeça estava girando, os neurônios queimando de tanto pensar.

Quem...? Quem faria isso? Quem quer me atingir?

De repente, olhei para a minha mão, que tremia como se eu fosse uma senhora com *Mal de Parkison.*

Eloise me olhava com lágrimas nos olhos.

Eu não conseguia pensar em abrir a carta, pelo menos não na frente deles.

12

Sophia Courtney

Eu disse a eles que precisava de um tempo. Peguei aquela carta e subi correndo para o meu quarto. Entrei e bati a porta.

Pierre não queria me deixar ficar sozinha, mas eu expliquei, ou tentei explicar, o que estava sentindo. Disse a ele que precisava abrir a carta sozinha, pois não conseguia pensar com eles me olhando com aquelas caras assustadas. Só estavam piorando a situação.

O meu tico e o teco já não estavam mais conversando. Os meus olhos estavam fixos naquele papel preto e eu tremia cada vez mais. Achava que iria enfartar a qualquer momento.

Respirei fundo e abri a carta... por Anne.

Querida, Sophia!

Se você está lendo essa carta é porque já estou morta.

O assassino — ele gosta de ser chamado assim — me obrigou a escrever está carta.

"Você precisa sofrer como ela vai sofrer."

Não são minhas estas palavras. Creio eu que você sabe de quem são.

Desculpe, eu não pude evitar. Você se lembra do assassinato da moça com o meu nome? A Anne. Eu mandei matá-la. Sim, fui eu. E é por isso que estou aqui no nosso apartamento, nesse estado. Eu não sinto dor. Na verdade, não sinto mais nada.

Você deve estar se perguntando:

— *Por que, Anne? Você não seria capaz! Ou seria?*

Sim, eu fui. E é por esse motivo que tudo isso está acontecendo. Eu sinto muito. Não queria fazê-la sofrer, você não tem culpa.

Lembra-se da noite do nosso jantar? Tudo o que eu lhe disse era verdade. Sei que te devo muitas explicações, mas fique calma, a dor logo vai passar. A raiva é que talvez não passe.

A pessoa que está fazendo isso comigo, disse para eu lhe contar tudo. Com todos os detalhes. Então, vamos lá.

Eu via você ralando, dando muito duro para me criar e sabia que isso não era justo. Você devia ter aproveitado sua adolescência e não ter sido obrigada a amadurecer tão cedo.

A morte dos nossos pais me causou várias sequelas, feridas que até hoje não cicatrizaram. Eu devia ter morrido naquele carro, naquela noite, não eles.

Ei vi a motorista bêbada, do carro que bateu no nosso. Vi aquele rosto humano depravado, odioso, olhando-me com desdém. Eu estava meio acordada, meio inconsciente. Às vezes, achava que estava saindo do meu corpo e voltando. Doía muito.

Você deve estar pensando que eu era só uma menina, certo? Mas aquele rosto, aquela mulher ficou marcada em minha memória por toda minha vida. Eu juro que tentei esquecê-la, tentei levar a vida adiante como você fazia. Mas quando eu vi aquela mulher de novo, viva e feliz, quando ela é que deveria ter morrido e não nossos pais, eu não aguentei. Não era justo com eles, comigo, nem com você. Ela precisava pagar.

Eu sei que papai e mamãe estão num lugar incrível agora. Como você dizia: *"Agora eles são estrelinhas lá no céu"*.

Sei que eu não vou para o lugar calmo e tranquilo onde eles estão, mas eu não conseguiria viver enquanto aquela mulher respirasse. Então, planejei tudo, durante meses. Eu sabia onde ela trabalhava, onde morava, a que horas chegava em casa, o horário do metrô que ela pegava, enfim, cada detalhe da sua vida medíocre.

Eu não achei nenhum sinal de arrependimento. Se eu notasse o mínimo sinal, desistiria de tudo, mas ela não se arrependeu.

Abaixei a carta e suspirei, desesperada. Baixei os olhos novamente e voltei a ler.

O assassino está me mandando encerrar logo, para ele poder terminar o que começou.

Eu a segui quando desceu do metrô e permiti que ela me visse. Quando ela começou a correr, deu de cara com o matador de aluguel que eu havia contratado. Eu não iria sujar as minhas mãos com aquela criatura. Ah! Eu ia me entregar para a polícia, mas parece que, assim como os nossos pais eram amados, aquela mulher odiosa tinha alguém que se importava com ela, e ele está bem na minha frente.

Eu não estou com medo. Como disse, não sinto mais dor.

Perdoe-me, Sophia, por fazê-la passar por tudo isso. Perdoe-me porque agora sei que ele vai persegui-la.

Eu juro que não queria nada disso.

Espero que você o encontre primeiro.

Sua Anne

— NÃO! NÃO É VERDADE! — gritei. — Eu não podia ter sido tão cega! Como não percebi que ela não estava bem? A culpa é totalmente minha! Eu a sufoquei com o meu instinto de proteção. E agora ela está morta. NÃO PODE SER! ISSO NÃO ESTÁ ACONTECENDO!

Tarde demais, percebi que havia gritado. Pierre e Eloise subiram correndo até meu quarto e escancararam a porta.

Pierre pegou a maldita carta das minhas mãos e Eloise me abraçou, chorando.

A cada linha que ele lia, fazia uma careta pior. Não falou nada até terminar a carta e tudo o que eu queria fazer era gritar bem alto, até ficar sem voz. E correr dali. Correr para longe. Mas as minhas pernas não reagiram, a minha voz já não saía mais. O que não parava eram as lágrimas que os meus olhos derramavam. Tudo que eu pensava era: É MENTIRA! *EU SEI* QUE É MENTIRA!

Quando Pierre terminou de ler, Eloise tentou pegar a carta de suas mãos, mas ele não permitiu, ela não iria aguentar.

O primeiro estágio para toda dor nessa vida é a negação e eu me neguei a acreditar no conteúdo daquela carta. Aquilo, simplesmente, não era verdade.

Agora percebo que criei Anne dentro de um casulo. O *meu* casulo imaginário. Eu a protegi como se fosse uma criança indefesa. Não pela segurança dela, mas para a minha. Eu não conseguia me imaginar perdendo mais ninguém, fui egoísta o tempo todo, só pensava em mim e na minha dor, sem jamais parar para pensar no que ela sentia com tudo isso.

— Sophia, você nunca me disse que Anne estava no carro com seus pais — disse Pierre.

— É porque ela não estava — murmurei.

Não faço ideia do que vai acontecer daqui para frente ou como as pessoas irão reagir.

— Sophia, a única pessoa a quem precisamos mostrar essa carta é o capitão. Ele irá nos ajudar a pegar o assassino. Não pense nessas baboseiras.

— BABOSEIRAS?! — Eu surtei. Não conseguia pensar como isso iria me ajudar. Como eles pretendiam me ajudar. — Você acha isso BABOSEIRAS?! — perguntei de novo.

Eloise desatou a chorar.

— Sophia, acalma-se! — Eloh pediu, em meio às lágrimas.

— SE ACALMA VOCÊ — gritei novamente.

Respirei fundo e, aos poucos, comecei a me recuperar.

— É claro que isso é uma grande mentira — Pierre interviu. — A Anne não faria nada disso. Com certeza, a pessoa que fez aquilo com ela, obrigou-a a escrever aquelas palavras tenebrosas para você achar que ela é a vilã e não o assassino. Pense bem, Sophia. A Anne não seria capaz. Ela te amava.

Eu sei que ela não faria isso, pensei.

Sim, ela me amava, mas, às vezes, as pessoas não medem as consequências e fazem loucuras por amor como, por exemplo, mandar matar alguém.

Eu já não estava mais raciocinando direito, por isso, aceitei o comprimido que Eloise me ofereceu, para relaxar e dormir profundamente.

Eles saíram do quarto e eu me deitei, mas demorei a pegar no sono, mesmo com o remédio. Parece que essas drogas não fazem mais efeito em mim. As drogas do mundo, das pessoas... aqueles pensamentos, sentimentos, drogas que todos temos.

Como o sono não estava querendo vir de jeito nenhum, levantei-me e fui escrever no meu blog.

Eu me vejo completamente presa a esses sentimentos. Talvez haja muita raiva no meu coração, raiva da Anne e de mim mesma. Mas quem sou eu para dizer isso? Eu a criei dentro de um casulo de proteção. Não para ela não sair machucada, mas por mim. Não pensei no que ela queria e não tive a audácia de perguntar, talvez por medo do que ela escolhesse. Eu não lhe dei asas porque não queria que ela voasse. Fui egoísta. Tive a arrogância de me enganar e fingir estar fazendo tudo que fiz por ela e não por mim. E hoje quem está sofrendo sou eu, e dá pior forma que alguém poderia sofrer.

Tudo que fazemos na vida tem consequências, a única coisa que as diferencia é que a consequência vem de acordo com o seu ato, com diferentes formas de dor, de pagar pelo mau que fazemos.

Não vamos ser hipócritas e dizer que não cometemos erros. Isso sim, além de ser uma baboseira é uma grande mentira. Mas o pior é que mentimos para nós mesmos. Eu me achava o máximo. *Nossa, eu cuidei da minha irmã. Sou madura.* Que idiotice! Eu não cuidei dela, eu a trancafiei por medo da solidão. Medo de não aguentar perdê-la, pois eu já havia perdido muito. E olha como eu estou agora? Transformada em um lixo, sem saber o que pensar. Sem saber o que fazer.

Mas eu não podia descer do salto. Precisava manter as aparências. Mulher guerreira, correta, íntegra. Imagina só que grande estrago seria, se as pessoas soubessem como eu realmente sou. Agora, como estou por dentro? Posso resumir em uma palavra e será de altíssima compreensão. DESTRUÍDA. Um caco. O coração está picado em pedacinhos.

Imagina só se eles realmente conhecessem a simpática Sophia, frágil, solitária, medrosa. Bonequinha de porcelana por fora e por dentro um coração picado.

A menina alegre, positiva, de bom astral, foi destruída pelo medo. Não apenas o medo da solidão, mas o medo do que as pessoas pensariam dela se conhecessem seu verdadeiro eu. Se ela permitisse que alguém entrasse no seu coração e a conhecesse como é de verdade. Seria um estrago total!

Pobre Sophia! A órfã piedosa. Cuidou da irmãzinha desde a morte dos pais.

Eu sou uma mulher patética!

13

Sophia Courtney

Era um belo dia...

O sol estava radiante e o céu em um azul-celeste divino.

Quando Pierre acordou, eu já estava tomando café. Ele desceu de pijama, sentou-se e disse:

— Bom dia, Sophia!

— Bom dia — respondi sem empolgação.

Terminei o café e subi para me arrumar. Olhei-me no espelho e disse a mim mesma:

— Você vai pegá-lo, garota! Nem que seja a última coisa que faça!

Eu estava com muita raiva.

Cheguei ao hall dez minutos depois e Pierre já estava me esperando na porta do carro. *Pronto! Lá vamos nós,* pensei.

Ele dirigiu em silêncio até a delegacia, onde mostraríamos a carta ao capitão. Fazia cinco dias que eu havia lido e ainda me recuperava do choque.

Seria o primeiro dia de volta ao trabalho, desde que demos aquela declaração à imprensa, anunciando que capturamos o assassino da torre. Naquela tarde que eu achei que seria perfeita, que nada poderia dar errado, que eu estava preparada para a luta... Que doce engano. Eu não estou preparada para mais nada. Não sei mais se consigo lidar com a morte. Perdi tantas pessoas e ainda não me acostumei... Talvez, fosse justamente por isso que pensei em desistir. Mas a raiva que jorrava de mim jamais deixaria que isso acontecesse.

O meu velho deve estar olhando lá de cima com tanta vergonha de mim... Eu que nunca desistia de nada. Mas não seria agora que desistiria. Afinal, eu não recebi qualquer carta, era da Anne, nos seus últimos minutos de vida. Eu não podia deixar isso barato.

Liguei o rádio e estava tocando a música preferida dela. Eu nunca prestei atenção na letra como agora. Ela tentou me dizer, tentou dizer o quanto estava sufocada através da sua música, e eu percebi tarde demais.

I'm tired of being what you want me to be
Feeling so faithless, lost under the surface
I don't know what you're expecting of me
Put under the pressure of walking in your shoes

Percebo, agora, o quão entorpecida estou. Percebo que esta música se encaixa mais em mim do que se encaixava nela. Isso me assusta de uma maneira que eu não sei se consigo explicar.

Eu estava em outro lugar, pensando como teria sido se tivéssemos tomado decisões diferentes, tanto eu quanto ela. Como estaríamos hoje, ou amanhã? Nunca saberemos.

Não podemos mudar o passado, mas podemos mudar o futuro, agindo diferente no presente.

Eu me perdia nesses pensamentos.

Chegamos à delegacia pouco depois que a *minha* música acabou. Não poderia mais ser *dela,* se hoje ela está morta!

Saímos do carro e andamos em silêncio até a sala do capitão, Pierre estava com a carta, eu já não podia tocá-la.

Ele estava sentado, como de costume, olhando para o nada.

— Bom dia, capitão — disse Pierre, enquanto entravamos. A porta estava entreaberta, ele estava nos esperando.

Eu não havia dito nada desde que saí de casa e, pelo jeito que me olhava com piedade, o capitão queria que eu dissesse.

— Como você está, Sophia? — indagou.

— Bem — respondi. O que eu deveria dizer?

— O senhor se lembra *daquela* carta? — Pierre perguntou, sentando-se.

— A carta selada com sangue? — o capitão questionou, parecendo não se importar com meus sentimentos.

Pierre se remexeu na cadeira, incomodado com a falta de sutileza do capitão.

— Sim — respondeu.

— Desculpe, Sophia — o capitão pediu, sem parecer realmente se importar. Ele era frio e calculista. Não era o melhor chefe de todos.

Pierre tirou a carta do bolso do paletó e entregou a ele, que a examinou com cuidado. A impressão que dava era que estava sendo contemplado com algo fascinante. Senti que iria vomitar.

— Pierre, ela já foi levada para análise?

— Sim. Foi comprovado pelo legista, é o sangue de Anne Courtney.

— NÃO FALE DELA DESSE JEITO — berrei.

Não aguentava mais todas essas pistas e o falatório do crime. Eu só queria acabar logo com tudo isso.

— Calma — disse Pierre devagar. — Não vou deixá-la fazer isso comigo ou consigo mesma.

— Eu vou embora. Viajar. Tenho uma boa quantia guardada. Era para as mensalidades da faculdade da Anne.

Senti uma onda de raiva ao falar o nome dela.

Pierre me abraçou.

— Calma, Sophia! Nós vamos pegar o assassino, eu prometo. — Ele afagou o meu cabelo e olhou nos meus olhos. — Agora, retire o que você disse.

Eu ri. Ri de verdade, e não foi de ironia. Ri pela primeira vez em vinte dias.

— Está bem — assenti.

— Sente-se — pediu o capitão, com um semblante diferente. — Precisamos conversar. Infelizmente, o caso da Anne Lockhart será fechado desta forma. Não me interrompam, por favor, eu também não gostei nada disso. Mas vocês sabem como funciona. Ela confessou e foi provado que a letra é dela.

— Mas e o tal matador de aluguel que ela mencionara na carta? Ele está solto e não deveria.

— Olhem — o capitão falou num sussurro —, eu sei mais do que ninguém que a Anne não seria capaz disso; ela está morta e não tem como prestar depoimento ao juiz. Desculpe de novo, Sophia, mas é a verdade e vocês sabem disso. E tem mais uma coisa... *Vocês não vão gostar nadinha.*

— O que poderia ser pior do que isso? — perguntei sem acreditar.

— Acreditem. É *muito* pior — ele enfatizou. — Vocês não poderão mais trabalhar nesse caso. Sinceramente, eu lamento, mas está fora do meu controle.

— O que o senhor quer dizer?! — Pierre fez a pergunta por mim.

— Vocês não podem mais trabalhar no caso da Anne Courtney, por envolvimento pessoal — ele disse, olhando para Pierre quando ele ameaçou retrucar.

— Não é possível! — falei, exasperada. — Isso, com certeza, é muito pior do que um caso arquivado injustamente.

— Eu disse — alertou o capitão e eu olhei feio para ele.

Chegamos em casa cedo naquele dia. O capitão percebeu que não era uma boa ideia nos manter muito tempo presos no departamento, pois estávamos muito indignados para trabalhar em qualquer papelada. Por isso, ele nos mandou para casa às três da tarde.

Eloise nos olhou da sacada sem entender.

— Pierre — falei —, você explica a ela? Não vou conseguir.

— Claro — ele respondeu. — Você vai ficar bem?

Preocupação de novo não, por favor. Pensei.

Dei um abraço em Eloise e saí assim que ela fez sinal de que iria perguntar o motivo da nossa chegada mais cedo.

Gesticulei em direção a Pierre.

— Ele te explica. Vou subir, Eloh.

E segui a passos largos para o meu quarto.

Pensar naquele quarto como *meu* ainda me dava calafrios. Não conseguia evitar lembrar da Anne daquele jeito, jogada no chão da nossa antiga sala.

Os segundos passavam como se fossem dias, tudo estava indo tão devagar...

Os investigadores que foram designados para tratar do caso da Anne não tinham nenhum progresso há meses, parecia que estavam andando para trás. Imploramos ao capitão para que nos deixasse retornar ao caso, mas nada do que dizíamos o fazia mudar de ideia.

Estou seguindo o protocolo, investigadores. Ele dizia. *Não há nada que eu possa fazer.*

Não cabia a ele fazer justiça, mas a mim sim. Ela era minha irmã! A culpa era minha dela estar morta. Eu precisava protegê-la e não o fiz. Tudo o que eu fiz foi proteger a minha dor.

Depois de dois meses que mostramos a carta ao capitão, eu estava... *melhor*. Tirando a parte de que não podia fazer nada para ajudar a prender o assassino dela. Os dois investigadores destinados ao caso, e o capitão, não nos deixavam chegar nem perto do caso.

Paris estava numa calmaria desde a morte da Anne, último assassinato que houve na cidade. Eu e Pierre estávamos lidando apenas com a papelada no escritório e ajudando o sargento com assuntos de violência doméstica, dentre outros casos menores. Até com brigas de trânsito nós trabalhamos, o que só fazia aumentar a minha raiva. Que grande ironia! Dois investigadores da homicídios, trabalhando com brigas de trânsito. Isto não poderia ficar pior. Ah, se eu fechasse a matraca...

— Sophia! Pierre! — o capitão nos chamou em sua sala.

Quando entramos, dei de cara com os *dois*. Aqueles que roubaram o nosso caso. E como se isso já não fosse o bastante, eles estavam retrosseguindo com o caso.

— Olá — disse secamente, cumprimentando-os.

— Que honra — zombou Pierre. — Que milagre! Nos últimos meses não podíamos sequer chegar perto de vocês. Por que estão nos dando o prazer da visita?

Ele estava furioso. Quase mais do que eu.

— Vocês querem se sentar? — pediu o capitão.

Assentimos e esperamos. Eles olhavam de um para o outro.

— Então? — perguntei — Até quando vamos ficar neste silêncio?

— Sophia, lamento ter de lhe dizer isso...

— Desembucha logo, capitão! — Pierre o interrompeu.

Ele estava realmente muito bravo. Na maioria das vezes, era eu que deixava as emoções falarem mais alto.

— Será que você pode se acalmar, Pierre? — O capitão estava nervoso; nunca o vi assim.

— Ele tem razão, Pierre. — Espantei-me ao ouvir minha própria voz.

— Obrigado, Sophia — o capitão agradeceu, desconcertado. — Os investigadores e eu conversamos um pouco sobre o caso da Anne. — Eu ouvia cada palavra com toda atenção. — Já faz nove meses que estamos trabalhando no caso e só estamos andando para trás. Não há mais nada a fazer! — exclamou, pondo um ponto final no caso.

— NÃO! — Pierre gritou, levantando-se da cadeira, e eu o acompanhei. — Você está louco? — ele perguntou.

Eu não conseguia dizer nada. Eles não podiam desistir assim da minha irmã. Era a minha irmã!

Como se lesse meus pensamentos, Pierre argumentou:

— Anne era irmã da Sophia — falou, apontando para mim. Eu sentia as lágrimas querendo descer, mas eu não iria ceder. Pisquei várias vezes para impedi-las de cair. — Nós vamos entrar no caso! — ele disse, convicto.

— Você sabe melhor do que ninguém que não podem — respondeu o capitão, bravo.

— Nos dê a permissão. — Pierre estava implorando. Não iria desistir facilmente, ele não era disso.

— Isso! — As palavras saíram com urgência da minha garganta. — Só nos dê três meses, por favor, capitão — implorei. — Ela era minha irmã.

Ele assentiu e eu vi que estava tão nervoso quanto nós.

— Certo. Apenas isso e nada mais.

— Isso! — Pierre comemorou, dando um soco no ar. — Ninguém vai arquivar o caso da nossa garotinha, comigo vivo! — exclamou.

Nevava naquela manhã em que tudo recomeçaria. As dores seriam revividas para um bem maior: punir o assassino. A culpa pesava sobre mim a todo momento. Indiretamente, eu tinha uma culpa parcial com o assassino. Eu devia tê-la protegido. Talvez por isso eu estivesse tão apreensiva e determinada em voltar para o caso, mas em nenhum momento acreditei que o capitão cederia. Foi uma surpresa e tanto.

Com o frio aumentando e a neve caindo, resolvi beber um chocolate quente naquela manhã. Precisava esquentar não só o meu corpo, mas o coração. O lado bom do inverno eram os cappuccinos e chocolates quentes. Eles me faziam amar essa época de frio.

— Bom dia! — disse a Pierre. — Quer um chocolate quente?

— Não, obrigado. Vou precisar de café...

Preto e sem açúcar, falamos juntos.

Sorri para ele. Ele e Eloise tornavam os meus medos e as coisas ruins mais toleráveis. Ficar sozinha por um determinado tempo é bom, mas o tempo todo não. Isso tornava as pessoas mais solitárias e menos empáticas. Aquela coisa toda, sabe? De que *"mais vale um amigo perto do que um irmão distante".*

Coisas ruins acontecem a pessoas boas, sejam elas por escolha ou por alguma atitude. Há pessoas que acham que vão plantar uma coisa e colher outra. Grande engano. Às vezes, entendemos tarde demais. Você não pode mudar o passado, nem voltar a viver nele, mas o presente e o futuro é você que decide como vai ser. Tirando a parte de que, talvez, uma escolha ruim no passado vá sacrificar o seu futuro em algum momento, é claro.

Depois de tudo de ruim que aconteceu nos últimos nove meses, eu estava refletindo sobre certas coisas da vida, e da morte. Há momentos que estamos nos sentenciando ou sentenciando alguém sem nem perceber, coisas que fazemos ou como agimos diante de certas circunstâncias. Mas uma coisa é certa: *tudo tem consequências.*

Depois do que pareceram décadas refletindo, Pierre me tirou do devaneio.

— Terra chamando Sophia! Podem devolver a presidente de Marte?

Pisquei várias vezes. Parecia que eu tinha dormido um sono profundo. Mas até que não foi tão irreal assim, afinal, eu dormi por muito tempo nestes últimos meses, cogitando esquecer e deixar para trás as coisas que me magoaram. Cogitando deixar que as consequências aparecessem por si só, qualquer dia.

— Eu não estava em Marte — respondi, fazendo careta.

Pierre revirou os olhos e sorriu.

14

Sophia Courtney

Entramos no elevador em silêncio e permanecemos até entrar no departamento. O capitão estava nos esperando para dar as instruções, como se não soubéssemos.

— Bom dia! — ele nos cumprimentou.

— Bom dia, capitão! — Pierre respondeu, enquanto tomava um gole do seu café.

— Bom dia! — respondi. — Nós queremos checar as câmeras do prédio — fui direto ao ponto.

— Lamento informar que não será possível — o capitão falou, olhando pela janela. Carros passavam a todo vapor nas ruas de Paris.

— O quê?! — retruquei, incrédula. Mais um impasse não. Por favor, não.

— Bom, desta vez a culpa não é minha. Não é como se eu não quisesse ajudar os meus investigadores a pegar um assassino.

— É culpa de quem então? — Eu estava com muita raiva disso tudo. As coisas ficavam piores a cada dia.

— Maneire sua raiva e não a dirija a mim. — O capitão jamais aceitaria uma afronta, ele era o *todo-poderoso*. Tinha um gênio ruim. Era um bom capitão, se você soubesse lidar com ele e fizesse exatamente o que ele queria, do contrário, podia ser uma pedra no seu sapato.

— Certo — respondi, olhando nos seus olhos. Pierre apenas nos observava, enquanto bebericava seu café. Ele já se acostumara comigo e o capitão.

— O motivo de tudo isso é que as câmeras do prédio não *gravam*, apenas *monitoram*.

Pierre tossiu no exato momento em que tentava beber o café e falar:

— Não é possível! — exclamou.

— Eu sei — o capitão concordou. — É indignante.

Eu ainda estava digerindo o que acabara de ouvir, mais um empecilho para o caso.

— Como se não bastasse termos perdido todo esse tempo na investigação, e agora isso?!

— O Senhor sabe se o mesmo gerente que estava no dia do crime ainda trabalha lá? — Pierre questionou.

— Sim.

— Se o senhor nos der licença, vamos até o prédio interrogá-lo — falei, pondo um ponto final na reunião e o capitão assentiu.

— Espero que tenham sorte e descubram algo útil. — O capitão estava impaciente.

— É o que mais desejamos — Pierre respondeu.

Assim que descemos do carro, em frente ao meu antigo prédio, pedi um instante a sós para Pierre.

— Por favor — sussurrei e ele entendeu.

Fiquei contemplando o prédio, enquanto ouvia os passos de Pierre à frente. Já se passou um bom tempo desde a última vez que estive aqui. Esperava que isso não fosse mexer comigo, mas o que eu esperava? Minha irmã foi morta neste prédio e eu não sou um robô sem sentimentos, por mais que finja e espere que as pessoas acreditem nisso.

Respirei fundo e dei o primeiro passo em direção à sala do gerente. Pierre me esperava em frente à porta.

— Você está bem? — ele perguntou. Eu assenti e ele bateu na porta.

O gerente nos olhou sem entender.

— O que vocês estão fazendo aqui? Achei que o caso seria arquivado. — Ele estava do mesmo jeito que eu lembrava: um completo babaca.

— Creio que não precisamos mostrar os distintivos para que você nos deixe entrar, certo? — perguntei, dando um passo à frente. Ele me olhou com raiva e deu espaço.

— Entrem, por favor — ele respondeu, fingindo simpatia.

A sala era pequena, escura e cheirava a incenso barato. A única coisa na mesa pessoal, sem contar com o computador, era um porta-retratos da família dele.

— Sentem-se — pediu, direcionando-nos a duas cadeiras em frente à sua mesa.

— Obrigada — agradeci com toda a simpatia que consegui demonstrar no momento.

— Bem, o que você disse sobre o caso ser arquivado era verdade, contudo, foi resolvido pelo capitão que deveríamos refazer todos os passos do início do caso, para ver se não deixaram passar nada — Pierre enfatizou.

— Entendo — o gerente falou, olhando diretamente para mim. — Eu achava que policiais não podiam trabalhar em casos envolvendo alguém da família.

— Isso não lhe diz respeito — argumentei, querendo levantar da cadeira e esganar aquele cara. — Mas se preferir podemos levá-lo para a delegacia. — Sorri.

— Você tem razão, investigadora, não é da minha conta. Mas ainda estou curioso. Acho que não faria mal se me disserem o porquê este caso tem tratamento especial.

— Este caso não tem tratamento especial — Pierre esbravejou. — Apenas, antes de fecharmos um caso deste como arquivo morto, o capitão nos permitiu investigar mais a fundo. Satisfeito? — Ele ficou desconcertado com o fim que a resposta teve.

— Senhores — tossiu —, não vamos levar isso para o lado pessoal. Eu só estava curioso e agradeço que tenha sanado a minha dúvida.

— Certo, já que estamos aqui para resolver um caso, vamos ao que interessa. Você poderia nos contar como foi aquele dia? — Pierre começou.

— Aquele foi um dia que a gente não esquece tão facilmente. — O gerente olhava através de nós. — Tudo dando errado. Creio que foi o dia mais estressante que eu tive no trabalho. Foi realmente terrível! — Ele parou e nos olhou por alguns instantes.

— Continue, por favor — Pierre pediu.

— Bem, começou com as câmeras pifando. Eu achei que havíamos sido *hackeados*. As câmeras de todos os andares e corredores tiveram algum problema. Passei o dia todo correndo de um andar ao outro, mas, no fim do dia, algo estranho aconteceu. Nada parecido tinha acontecido antes...

— O que aconteceu? — eu o interrompi.

— O menino do 501 jogou uma pedra na câmera da escada de emergência, foi muito bizarro. Lembro-me de que o funcionário que estava de plantão naquele dia me chamou, achando graça da situação.

— Por que ele acharia graça disso? — foi a vez de Pierre interromper. — Porque o garoto nem tentou esconder o rosto. Nada de capuz ou máscara. Nada. E quando chamamos o garoto e a mãe para conversar, ele contou uma história mirabolante, que só podia ser invenção de uma criança.

— Prossiga — falei com impaciência.

— O garoto nos contou que um cara na rua deu 50 libras para ele fazer isso. Quando perguntamos como era o cara, ele não sou soube dizer. As câmeras só pegaram o rosto do menino, nenhuma outra pessoa foi vista próximo a ele. O garoto continuou dizendo que o cara apontou para a câmera e mostrou o dinheiro, e ele nem pensou em olhar para trás. Claro que poderia ter sido um sequestro.

— Qual a idade do menino? — perguntei.

— Dez anos.

— À que horas foi isso?

— Mais ou menos às dezoito horas.

— A câmera foi concertada naquele mesmo dia? — As peças estavam começando a se encaixar no quebra-cabeça.

— Não foi concertada, deixamos para o dia seguinte. As câmeras de dentro do prédio eram mais importantes naquele momento.

— Obrigado, senhor Jacques — Pierre agradeceu.

Passava das onze da manhã, quando chegamos ao departamento. O capitão nos esperava na sua sala.

— Olá, capitão! — cumprimentei, batendo a porta. — Parece que Jacques esqueceu de mencionar um fato importante no primeiro depoimento.

— O que foi, Sophia? — ele perguntou com rispidez. — E quem diabos é Jacques?

— O gerente do prédio, capitão — Pierre respondeu.

— Ah, claro! Continue, Sophia. O que ele esqueceu de mencionar?

Contamos ao capitão tudo sobre o garoto e o cara misterioso.

— Sabem o nome do garoto e onde ele mora?

— Sim, capitão — respondi. — Depois do acontecido, a mãe do menino deduziu que o prédio não era mais seguro e se mudaram para um novo apartamento, a pouco mais de quinhentos metros do antigo.

— Ótimo! Já sabem o que devem fazer. E lembrem-se: *três meses,* nada mais.

— Sim, capitão — respondemos em uníssono.

Saímos da sala escura do capitão e fomos para a nossa mesa. Coloquei a jaqueta no encosto da cadeira, como de costume, e começamos a trabalhar. Pierre estava fazendo o relatório da conversa com o gerente e eu estava ligando para a mãe do garoto: Daphnè.

— Conseguiu falar com ela? — Pierre perguntou, obrigando-me a sair do devaneio.

— Sim, consegui — respondi, colocando o telefone no gancho.

— No que você estava pensando? — ele indagou.

— Daphnè e o filho moravam no mesmo andar que eu — declarei, sentindo arrepios. — A *escolha* do garoto não foi coincidência. O assassino quer que tudo se encaixe com perfeição.

— Coincidências acontecem — Pierre contestou, não parecendo crer no que dizia.

— Eu nunca soube que havia uma mãe solteira no prédio, muito menos no meu andar. Sempre estava tão focada no trabalho e em cuidar da minha irmã, que reduzia o meu ciclo social apenas a você, Eloise e Alaric. O pessoal do trabalho e o capitão também, contudo, eu não conhecia essa mulher. Ela poderia precisar de uma amiga, agora esse peso recai sobre mim — falei cabisbaixa.

— Não é bem assim, Sophia — Pierre me consolou. — Você é uma mulher ocupada, o nosso trabalho exige que nos entreguemos demais, entende? Talvez essa mulher nem precisasse de ajuda ou tivesse muitos amigos e um ciclo social grande.

— Não sei — respondi. — Nesses últimos dias eu me peguei pensando e refletindo sobre tudo o que já fiz na vida, tudo o que eu almejei ou desejei... Eu me dei conta de que a gente não leva nada desse mundo, o verdadeiro tesouro que tenho são vocês. Isso é o que importa: fazer bem às pessoas. As boas conversações acabaram. As pessoas não batem mais na porta uma da outra pedindo açúcar, elas mandam mensagens. — Dei-me conta de que estava falando essas coisas mais para mim do que para Pierre.

— Isso não quer dizer que você seja uma má pessoa, Sophia.

— Não — concordei. — Quer dizer apenas que eu era uma má vizinha — acrescentei, pondo um ponto final na conversa.

No dia seguinte, acordei sentindo o aroma reconfortante de café. Desci a escada ainda de pijama, e como imaginei, Eloh estava preparando o café. Por incrível que pareça, ela estava mais alegre, mais risonha e até menos preocupada do que o normal.

Creio que ela está mais tranquila por saber que conseguimos estes três meses para tentar resolver o caso, ou arquivá-lo de vez. Mesmo que seja estranho, pois ainda não resolvemos o mistério. O assassino da minha irmã ainda está à solta. Ele pode estar em qualquer lugar, até aqui, espionando-nos.

— Bom dia, minha querida! — ela me cumprimentou, assim que me viu na escada.

— Bom dia, Eloh! — respondi, dando-lhe um abraço apertado.

Pierre chegou de mansinho atrás de nós.

— Bom dia para as mulheres da minha vida! — Assim que o vimos, prevemos o que seria um momento de sentimentalismo de Pierre.

— Bom dia, amor! — Eloise disse, dando-lhe um beijo.

— *Eca!* — exclamei rindo. — Bom dia, melhor parceiro. Viu que banquete a nossa Eloise preparou? Tem até torradas!

— Hum! Estou morto de fome — Pierre admitiu, passando a mão na barriga.

Sentamo-nos à mesa e eu peguei a xícara de café que Eloise me passou. Beberiquei em silêncio. Estava apreciando o momento. Amigos vêm e vão, e temos uma história com cada um deles. Contudo, minha relação com os Chermont era uma amizade que vinha crescendo cada dia mais.

Preciso pensar que eles ainda farão muito por mim, pensar que jamais irão me deixar só. A nossa história estava apenas começando. Não quero pensar em como o mundo e as pessoas são cruéis. Mas, com certeza, há um ser maligno no mundo! Porque, se não houvesse, como explicaríamos as coisas terríveis que acontecem todos os dias? Será que o ser humano faz coisas ruins porque gosta ou algo o incita a fazer?

A delegacia estava mais silenciosa do que o normal. Talvez porque eu e Pierre resolvemos chegar um pouco mais cedo, queríamos checar algumas evidencias antes de partir para mais um interrogatório. Quem sabe, o mais importante.

Eu pensava no motivo de Jacques, o gerente, não ter comentado para os outros investigadores sobre o garoto que quebrou a câmera.

Enquanto olhávamos todos os depoimentos que os oficiais colheram, parecia que faltava algo. Tinha alguma coisa que me incomodava naquele crime. Por mais que eu imaginasse o motivo do assassinato, não encontrávamos pistas ou qualquer padrão. Eu olhava para o quadro de suspeitos dos investigadores, mas nada fazia sentido. Acrescentei o gerente ao quadro e olhei as pistas com atenção.

Era apenas o segundo dia no caso e a dúvida estava me corroendo. As emoções não poderiam aflorar, senão, na mesma velocidade em que o capitão me permitiu entrar no caso, ele me faria sair. *O equilíbrio emocional é a chave para tudo!* Eu não podia me dar o luxo de ser dispensada do caso pela segunda vez.

Havia alguns rostos colados no quadro e um ponto de interrogação ao que seria o rosto do assassino. *Engraçado o gerente não estar entre os suspeitos,* pensei.

Adicionei uma nota mental para perguntar aos investigadores o que acharam dele e porque ele não estava no quadro de suspeitos. Ele poderia manipular tudo sem nenhum problema, tinha a chave de todos os apartamentos. Poderia ter aberto o meu sem dificuldade, principalmente com as câmeras estragadas. Ninguém saberia que havia sido ele, ou não pensariam no mais óbvio.

Olhei para Pierre, que também contemplava o quadro pensativo, e continuei o meu devaneio da manhã, sobre família... Eles não quiseram me deixar sozinha naquele momento. E quando eu me dei conta do que estavam fazendo e fui questioná-los, a resposta foi tão rápida que pude perceber o quão forte era a nossa ligação. E não falo de parceiros de trabalho, mas de família, de amigos que dizem: *Levanta-te, coragem!* Coisas ruins acontecem a todo instante, contudo, nós estamos aqui para te apoiar, para o que você precisar! Pode gritar, socar, coloca a raiva pra fora, que nós aguentamos. Só não aguentamos ver você sofrer sozinha, eles me disseram muitas e muitas vezes.

E tem o Alaric, meu melhor amigo. Não que seja só isso que ele quer... Nós nos conhecemos há quase seis anos. Ele era dois anos mais velho do que Anne e eu o considerava um irmão. Ele participou das minhas fraquezas, me viu chorar, quase me conheceu por completo. No fundo, acho que ninguém conhece alguém cem por cento. Tem dores que tentamos esconder até de nós mesmo. Sendo assim, como poderemos conseguir mostrá-la a alguém?

Quando me dei conta, já havia se passado quase uma hora. Notei, pela primeira vez, que Pierre já não olhava mais para o quadro, olhava diretamente para mim. Policiais chegavam a todo instante na delegacia, o barulho rotineiro começava a existir e não demorou muito para que o capitão entrasse.

— Bom dia! — cumprimentou. — Na minha sala. — Assentimos. Ele nunca mudava o mau-humor matinal.

A sala estava um pouco mais clara do que o normal. Parecia que o capitão estava tentando dar uma repaginada no ambiente sombrio do delegado durão.

— Agora pela manhã vamos até a casa de Daphnè — Pierre começou, e lendo a minha mente, continuou: — O estranho disso tudo é que o gerente não havia mencionado nada sobre ela e o garoto para os outros investigadores.

— Vocês deviam estar se sentindo privilegiados por descobrir uma pista que os seus colegas não descobriram, em vez de ficarem choramingando dúvidas idiotas — o capitão falou, carrancudo. — Talvez isso os ajude a finalmente resolver esse caso, que está me deixando de cabelo em pé há meses.

Agora ele passara dos limites. Eu já estava me levantando para dizer umas boas verdades, quando Pierre agradeceu e me empurrou porta afora.

— Obrigado, capitão! — ele disse. — Estamos indo agora mesmo.

— O que foi aquilo? — perguntei cética.

— Aqui não! — falou Pierre. — No carro.

15

Pierre Chermont

— O que foi aquilo? — ela perguntou, antes mesmo de sairmos do elevador.

— Sinceramente? — pensei no que eu mesmo acreditava estar acontecendo.

— Sim — Sophia pediu —, por favor.

— Acho que o capitão Marsílio está sob muita pressão. Ele deve estar respondendo muitas e muitas perguntas sobre nos deixar investigar o caso. Familiares — falei, revirando os olhos. — Sabe como é. As pessoas acham que não somos profissionais o bastante para dar conta do recado. — Não que não seja difícil, completei mentalmente.

— É até plausível — Sophia respondeu. — Eu não havia pensado no quanto deve estar sendo difícil para ele, nos permitir cuidar do caso.

Chegamos ao carro, entramos e seguimos em silêncio por todo o percurso.

O prédio em que Daphnè estava morando era de certo modo inferior ao de antes. Não ficava tão perto do centro como o outro. Eles deveriam estar vivendo um inferno com os jornalistas enxeridos. As pessoas estavam falando todo o tipo de crueldades sobre o garoto e a mãe. Como se já não fosse ruim o bastante criar um menino sozinha, em pleno século XXI as pessoas ainda insistem em falar mal de mãe solteira.

Sophia abriu a porta de vidro.

— Bom dia! — disse, mostrando o distintivo. — Investigadora Sophia Courtney.

— Pierre Chermont — falei, mostrando o meu. — a Srta. Daphnè Fleury está nos esperando.

— Sim, a Srta. Daphnè avisou que vocês viriam — respondeu o porteiro. — Apartamento 301 — completou, mostrando a entrada.

— Obrigada! — Sophia agradeceu e subimos os três andares de elevador.

— Faça as honras! — exclamei, quando chegamos à porta do apartamento, e ela tocou a campainha.

Pouco tempo depois, uma moça de aparência jovem, porém cansada, atendeu a porta.

— Bom dia! — cumprimentou sem jeito.

— Bom dia! — respondi. — será que podemos? — questionei, indicando a sala de estar.

— É claro. Desculpem, não estou acostumada a receber policiais na minha casa.

— Nós entendemos — Sophia disse com simpatia.

Daphnè nos levou até o sofá. Dei uma olhada rápida e pude notar quão simples o apartamento era: pouca mobília, uma luminária fraca e uma estante com alguns poucos livros surrados. Mas o que me chamou a atenção foi o sorriso explicito em várias fotos com um garotinho bebê, e mais fotos com o mesmo menino, eu imagino, um pouco maior. Mais ou menos, sete anos.

— Julien está em casa? — Sophia perguntou.

— Sim — a mulher respondeu, cabisbaixa. — É necessário mesmo que ele esteja presente? Ele é tão criança — ela suplicou.

— Sentimos muito por isso — disse Sophia —, mas é de suma importância. A moça assassinada era a minha irmã — falou, olhando para os pés. Pareceu que estava se permitindo apenas naquele mísero segundo demonstrar emoção.

— Eu sei, Sophia — ela disse. Ainda não tínhamos dito nossos nomes. — Morávamos no mesmo andar que vocês. Eu sinto muito pelo o que aconteceu a ela. Foi realmente muito, muito terrível. Ela era adorável e não merecia que aquilo acontecesse.

Ela conhecia a Anne? Essa informação estava fazendo minha cabeça girar.

— Sim, eu a conhecia — Daphnè falou como se lesse meus pensamentos. — Ela me ajudou algumas vezes com as compras. Sempre que me via, ela me cumprimentava.

— Eu não sabia — Sophia respondeu.

— Olá, garotinho! — falei quando vi um vulto correndo para dentro de um quarto. — Venha cá. Nós só queremos conversar.

— Vem, Julien — Daphnè o chamou. — Os investigadores querem jogar um jogo com você. — E se virando para nós, explicou: — Ele ficou um pouco tímido e mais assustado desde o acontecimento com a Anne, por isso nos mudamos. As pessoas ficavam perguntando coisas para ele, como se Julien tivesse alguma coisa a ver com o que aconteceu. Que absurdo, né?! Mas, espera! — falou assustada. — Vocês não acham que o meu filho tem alguma coisa a ver com o crime, não é?!

— Não, não! — respondi sorrindo. — Ele é só uma criança. Apenas queremos saber do que ele lembra, qualquer informação nos ajudaria muito com o caso.

Julien colocou a cabeça para fora do quarto e foi vindo devagar para a sala. Quando olhou para a mãe, correu para o seu colo. Ela o abraçou como se nunca mais fosse soltar.

Não pude evitar de pensar no Alaric. Ele já era um homem formado, mas para mim sempre seria o meu garotinho.

— Eu também tenho um filho, sabia? — perguntei, olhando para o menino, que pareceu interessado no assunto.

— Pode trazer ele para brincar comigo? — perguntou inocentemente e eu ri.

— Ele já é um homem adulto — respondi. — Lamento.

— Eu não me importo — o menino falou. — As crianças não querem mais brincar comigo.

Vi as lágrimas brotando nos olhos de Daphnè.

— Os pais ficaram com medo dele, como se o meu filhinho pudesse fazer mal há uma mosca — disse, irritada.

— Vamos jogar um jogo bem bacana, tá bem Julien? — Sophia falou.

— Oba! — ele exclamou, saindo do colo da mãe e se sentando ao lado da Sophia. — Do que é o jogo? — questionou com inocência.

— É um jogo de perguntas e respostas — ela afirmou. — Se você responder todas as perguntas ganhará uma coisa.

— Que coisa? — ele mostrou interesse.

— É uma surpresa — ela respondeu.

Sophia havia se preparado mesmo para esta conversa. Pelo que conheço dela, imagino que tenha mesmo comprado algo bem legal para o garoto.

— Vamos começar o jogo logo, então — Julien pediu, ansioso.

— Certo. Como era o homem que deu a você o dinheiro para quebrar a câmera daquele prédio onde vocês moravam?

— Hum... — falou, pondo a mão no queixo. — Eu lembro bem dele. Ninguém havia me dado tanto dinheiro — disse orgulhoso, sem ter ideia do que fizera. — Ele usava uma jaqueta preta e um capuz. Era bem alto. — Gesticulou em direção ao teto. — Estava de pé, e eu de bicicleta.

— Você viu como era o rosto dele?

— Não — ele respondeu tristonho —, mas sei que ele era moreno, porque eu vi a mão dele quando me deu o dinheiro.

— Muito bem! Você está ganhando — Sophia falou, fazendo cocegas no garoto.

Ela anotava tudo o que Julien dizia. Eu e Daphnè apenas observávamos. De vez em quando, eu ouvia uma fungada de choro, mas não ousava olhar para Sophia. Não queria que ficasse ainda mais constrangida com a situação.

— Quantos anos você tem, garoto?

— Oito anos e meio. E eu já sou um homem — ele disse, carrancudo.

— É claro que é — ela falou, rindo. — Um homenzinho bem esperto. Então, homenzinho, esse cara disse o porquê de querer que você fizesse aquilo?

— Sim! — o menino respondeu imediatamente e eu vi que Sophia ficou ansiosa, tanto quanto eu. — Ele disse que estava fazendo uma brincadeira para a namorada. Que iria fazer uma surpresa e não queria que ela o visse antes de chegar lá. — Sophia engoliu em seco, deixando transparecer o quanto aquilo a atingia.

— Você está indo muito, muito bem — ela declarou, voltando à imparcialidade. — Agora, a última pergunta: quando você fez o que o moço pediu, o que ele fez em seguida?

— Ah! Quando eu fiz e olhei para trás, ele tinha sumido. Mas já tinha me pagado, então, pouco importava onde ele estava. Depois, peguei a minha bicicleta e fui para casa — respondeu, tranquilo.

— Uau! Que coisa interessante! — Percebi a dificuldade de Sophia em dizer aquilo.

— E o meu prêmio? — contestou o menino.

— Ah, é claro — ela assentiu. — Aqui está.

Sophia tirou um pacote de presente de dentro da bolsa. Ela havia mesmo se preparado para isso.

Julien pegou o presente e mostrou para a mãe. Era um carrinho de brinquedo, bem bonito.

— Uau! Você pode ir brincar com ele no quarto, filho — Daphnè falou, olhando para mim e eu assenti.

Julien saiu correndo com o carrinho vermelho na mão e assim que chegou à porta do que parecia ser o seu quarto, olhou para trás e disse:

— Obrigada, Sophia!

Ela assentiu e ele entrou no quarto.

— Parabéns pelo seu filho, Daphnè. Ele é muito querido e inteligente.

— É sim! — ela exclamou. — Apenas eu que não sou uma boa mãe, do contrário ele jamais teria jogado aquela pedra na câmera — disse, com lágrimas nos olhos. — Desculpe.

— Você é uma boa mãe. Qualquer criança teria feito o mesmo. Como ele é como filho? — questionei.

— É um amor. Sempre foi bom aluno na escola, nunca brigou ou arrumou confusão e tinha vários amiguinhos. Agora ele brinca sozinho e isso dói demais em mim.

— Preciso perguntar uma coisa...

— O pai dele foi embora quando ele tinha três anos — ela se antecipou a pergunta de Sophia.

— Entendi. Como foi a vida de vocês desde então?

— Assim que ele foi embora, nós nos mudamos para o prédio que você morava — apontou para Sophia. — Morávamos lá há quatro anos, quando *aquilo* aconteceu. As coisas estavam ficando piores, os olhares para o Julien estavam ficando mais intensos e foi aí que percebi que não poderia mais viver naquele lugar, por mais que eu amasse — Ela fez uma breve pausa e continuou: — E era ótimo! Tinha boa localização, a escola do Julien ficava próximo e *era* seguro. Mas eu sabia que estava fazendo a coisa certa. O meu filho não deveria crescer com aqueles olhares e ouvindo cochichos maldosos. Ele é só uma criança, não sabia o que estava fazendo. — Suspirou.

— Obrigada por nos receber — Sophia falou. — Lamentamos que as pessoas tenham sido rudes com vocês.

— Eu que agradeço. Esse gesto de carinho vai significar muito para o Julien. Obrigada, de coração, pelo presente! Filho! — Daphnè gritou. — Venha aqui. A Sophia e o detetive estão indo embora.

— Talvez vocês precisem depor na delegacia — eu disse. — Entraremos em contato, se for o caso.

— Estarei à disposição, e se eu puder ajudar em mais alguma coisa é só me dizerem — finalizou, sorrindo.

Julien foi correndo para o colo de Sophia, que o abraçou por um bom tempo.

— Obrigada, Julien! Cuide bem da sua mãe, ouviu? Você é um homenzinho bem esperto para ficar de olho nela — Sophia declarou.

— Sim, senhora comandante! — Julien disse, fazendo continência e todos riram.

— Até mais, pessoal — falei, despedindo-me.

Estávamos quase chegando à delegacia, quando Sophia perguntou:

— O que você achou deles?

Eu não sabia ao certo o que dizer.

— Bem... — comecei — acho que eles já sofreram o suficiente na vida. Fiquei pensando se o cara escolheu Julien de propósito ou se foi uma triste coincidência do destino.

— Pensei a mesma coisa. Como se Daphnè já não tivesse sofrido o bastante. Não pude deixar de sentir empatia por ela — confessou.

— Você não seria mais humana do que uma pedra se não sentisse.

— Ó, céus! — exclamou. — Eu não acredito que o detetive ranzinza se deixou levar por um sentimento!

— Ah, para com isso Sophia! Não pude deixar de pensar no Alaric. E se isso acontecesse com ele, quando era apenas um menino? Como eu e a Eloise lidaríamos com a situação?

— Eu não sei — ela respondeu.

Ficamos em silêncio pelo resto do trajeto.

16

Sophia Courtney

Dois anos depois...

Os raios solares batiam com força e ousadia nas vitrines das lojas de Paris. Eu estava sentada embaixo de uma árvore, lendo *Harry Potter*. A magia que esse livro me trazia era sobre-humana. A realidade é corrompida demais para ficarmos muito tempo focados nela. O meu trabalho dizia muita coisa sobre isso... As pessoas conseguem ter uma frieza que não deveria ser subestimada. Por isso, gosto tanto desta literatura mágica, infanto-juvenil.

Muitas vezes, em determinado tempo da vida, nós perdemos aquele encanto que tínhamos quando crianças. Colocamos os sonhos de menino no fundo da gaveta e os esquecemos. Admiro os autores que conseguem criar mundos melhores e mágicos. Em meio ao caos que vivemos, não é fácil sonhar e enxergar a humanidade do ser humano.

Gosto especialmente de um clássico, em que uma garotinha de *sete* anos e meio encontra um país onde que todas as maravilhas podem acontecer. Amo o último verso do livro, Alice através do espelho.

Encantadas, pela corrente, deixam-se levar...
Lentamente sucumbindo ao fascínio da lenda...
Que mais é viver senão sonhar?

Eu tenho uma dúvida: O que realmente existe?

A existência não nos diz apenas o que vemos, mas também o que queremos ver. Esse é o papel de sonhar: acreditar que algo aconteceu antes mesmo de acontecer. Isto é ter fé. Fé de que há um mundo melhor, há um mundo mágico. Há um paraíso aonde nenhuma dor, maldade ou doença existem. Livros como esse me fazem crer num lugar melhor.

Mas, infelizmente, a *realidade* não é tão bonita quanto os livros pintam. Nós fazemos o mundo ser bom ou ruim, ser melhor ou pior.

O horário de almoço ainda não havia terminado, mas eu recebi um SMS do capitão.

"Preciso que você venha para a delegacia agora. Com urgência!"

Aconteceu alguma coisa de *muito* ruim. O capitão nunca havia me mandado uma mensagem no celular, sempre ligava.

Assim que cheguei à delegacia, percebi que o clima estava muito tenso. Olhei para a sala do capitão e vi que Pierre já estava lá.

— Boa tarde! — cumprimentei-os.

— Sente-se, Sophia — pediu o capitão Marsílio e eu obedeci.

— O que aconteceu? — questionei, olhando de um para o outro.

— Eu vou direto ao ponto — ele suspirou. — Foi o Adam, Sophia. Houve uma fuga em massa da prisão estadual. — Pierre olhava para os pés. — O Adam, e mais vinte homens que especialmente você prendeu — o capitão afirmou.

— O q-quê?! — gaguejei. — Mas como isso aconteceu? — afundei na cadeira.

— Pelo pouco que soubemos — Pierre falou pela primeira vez —, um policial corrupto abriu as celas.

Neste instante, lembrei-me do que desvendara na carta da Anne: *você só irá pegá-lo se Ele quiser ser pego.*

Quando éramos crianças, inventamos um código parecido com o código Morse, mas era mais como rabiscos, para nossa avó não saber o que estava escrito por trás das cartas que escrevíamos uma para a outra.

Depois que prendemos o Adam, eu reli várias vezes a carta que ela escrevera e descobri essa mensagem. Não contei para ninguém, porque achei que estava ficando louca. Mas, agora, pensando no caso, é muito pior. A maioria dos assassinos que eu e Pierre prendemos era realmente cruel. Vários deles, senão todos, juraram que me matariam no dia que saíssem da prisão.

Dois anos antes...

Faltava uma semana para o prazo de três meses que o capitão havia nos dado para resolver o caso. Eu já estava ficando maluca. Não dormia mais, os olhos afundados em olheiras, corpo e mente cansados de tanto trabalhar. Mas era a minha irmã e eu não podia desistir dela desse jeito, não podia deixar que arquivassem o caso do seu assassinato sem dar o meu melhor.

Pierre estava enraivecido e louco para resolver o caso. Dizia que não descansaria até solucionar. Anne era como se fosse sua filha caçula e ele jamais desistira dos seus filhos. Essa não seria a primeira vez.

Os dias passavam tão depressa que quando nos demos conta faltavam apenas dois dias para o fim do prazo. Estávamos sobrevivendo à custa de muita cafeína. Dormir não era uma opção. Até Eloise estava tentando ajudar no que podia.

No fim daquela tarde chuvosa, algo aconteceu...

— Olá, aqui é a Daphnè, mãe do Julien. Você se lembra de nós? — ela perguntou ao telefone.

— É claro. É claro — respondi, cabisbaixa. Eu já estava desacreditada de que conseguiríamos. — Aconteceu alguma coisa? — perguntei, fingindo interesse.

— Na verdade, sim. Acho que você vai gostar. Bom... espero que ajude de alguma forma no caso da sua irmã.

Quando ouvi aquelas palavras, algo despertou dentro de mim. Uma chama. Uma última faísca de esperança. Afinal, *a esperança é a última que morre.*

— O Julien ganhou uma revista do carteiro, na rua. Quando eu estava em casa folheando a revista, ele veio até mim e disse: *Mamãe! Mamãe! Eu vi esse lobo na mão de um homem, acredita?* Eu fiquei assustada na hora, mas aí me lembrei do cara da câmera. Foi então que Julien disse que quando o homem deu o dinheiro a ele, viu um lobo bem grande e bonito desenhado na mão dele. — Ela suspirou. — Isso não deve ser importante, né?! Desculpe — concluiu.

— Meu Deus! — exclamei, ao lembrar de uma pessoa que tinha uma tatuagem parecida com um lobo, na mão. — Isso ajudou muito, Daphnè. Obrigada! Eu tenho que ir. Até mais. — Desliguei sem ouvir o seu adeus.

— Pierre! — gritei da minha mesa. — Temos uma última chance!

Ele dormia no encosto da cadeira, ao lado da máquina de café, e veio correndo ao me ouvir chamar.

— O que foi? — perguntou, despertando.

— Daphné acabou de ligar! — exclamei e contei tudo a ele.

— Mas, Sophia — ele disse, desanimando novamente —, muitos homens devem ter um lobo tatuado na mão. Levaria anos para acharmos o cara certo, se é que acharíamos.

— Eu tenho um palpite. Lembrei-me de um cara em especial. Já tivemos muito contato com ele. Trabalha no jornal. O cara que escreveu a matéria nos difamando, lembra? Por isso eu prestei tanta atenção nele. Por isso, tenho certeza de que ele tem essa tatuagem.

— Capitão! — dessa vez foi Pierre quem gritou. — Peça um mandado para... — Ele procurava o nome no jornal. — Adam Lockhart — completou ao encontrar.

— Estamos indo para o jornal pegá-lo — gritei, dando vivas.

Em menos de quinze minutos chegamos ao jornal. Subimos o elevador e entramos no escritório.

— Adam Lockhart — falei, olhando em seus olhos. — Você está preso pelo assassinato de Anne Courtney.

— *Voìla!* — ele retrucou, rindo. — Achei que não iam descobrir nunca.

— Você tem o direito de permanecer calado. Tudo o que disser poderá e será usado contra você — Pierre falou, algemando-o.

Jean Lamartine olhava para a cena descrente que um assassino trabalhava para ele.

Agora...

O susto da notícia ainda me deixava com muito medo. Eu não queria sair da cidade, mas, como tinha duas férias vencidas, Pierre e o capitão me obrigaram a viajar. Eloise e Pierre iriam ao meu encontro em uma semana.

Depois de comprar as passagens aéreas pela internet, olhei para Pierre e perguntei:

— Satisfeito? Olha a minha felicidade de conhecer o Caribe. Eh — brinquei, demonstrando minha insatisfação.

— Nós também vamos — ele disse —, mas ainda temos que resolver umas coisas aqui, você sabe.

Sim, eu sabia. Não teve maneira nenhuma de convencer o capitão desta vez, de que pegaríamos todos os assassinos. Ele nos obrigou a tirar as férias e sair da cidade. *É para a segurança de vocês,* alegou. E repetia a frase, sempre que eu tentava outra tática para não viajar.

17

Sophia Courtney

Passada uma semana no Caribe, foi fácil de entender por que o capitão *Jack Sparrow* navegava nessas águas tranquilas. O lugar é maravilhoso!

Eu estava deitada, esperando a comida chegar. O recepcionista do hotel disse que hoje seria uma surpresa e eu estava muito curiosa.

Ouvi o barulho da fechadura. *Deve ser o copeiro,* imaginei.

— Não vejo a hora de experimentar essa comida — falei, ansiosa.

— Primeiro — disse ele —, vire-se. Você tem que estar vendada. Vamos ver se descobre qual é o prato só pelo sabor.

Confesso que achei estranho, mesmo assim, virei-me de costas e coloquei a venda nos olhos, entrando na brincadeira que hotel havia preparado para os hóspedes.

Quando estava sentada em cima da cama, aguardando para provar a comida, ouvi passos no quarto. Vários passos. Parecia que tinha mais alguém além do copeiro.

Senti meu coração acelerar de uma forma assustadora e o medo tomou conta do meu corpo, causando calafrios. Eu já não estava mais gostando tanto assim da brincadeira e as coisas começaram a piorar logo em seguida.

Ouvia uma respiração ofegante, bem perto do meu rosto. Eu já sabia que era outra pessoa, alguém que tinha um hálito nada agradável. Parecia que não conhecia escova de dente.

— Não pode ser! — Um filme passou na minha cabeça. Eu estava reconhecendo aquele hálito. Por incrível que pareça, só poderia ser uma pessoa no mundo: o assassino.

Ele chegou mais perto e eu gritei para o homem do hotel, mas ele não me respondeu. O outro parecia rir, e muito.

— Reconhece a minha voz, Sophia? — ele perguntou e o meu coração parou de bater.

Isso mesmo. Com o susto, eu tive uma parada cardíaca.

Eu ouvia a voz da Anne me chamando, sabia que estava chegando a minha hora, até que senti...

— Ah, não! Você não vai morrer assim! Fique tranquila, Sophia.

Senti um choque no peito, e ele se repetiu com mais intensidade, mas a dor não era nada, comparada à que eu sentiria se ficasse viva.

Depois de sentir bastante dor com aqueles choques, eu apaguei.

Quando acordei, estava sem a venda, mas amarrada na cama, e vi a cara escrota do Adam.

Como eu me deixei ser enganada dessa forma, pensei.

Ele estava conversando com o copeiro como se fossem velhos amigos, e imagino que fossem mesmo. Eu ainda não estava acreditando. Aquilo só podia ser um pesadelo! Tinha que ser! Mas eu caí do cavalo, quando eles viram que eu tinha acordado.

— Olá, Sophia! Que bom que acordou — disse o assassino. — Não via a hora de conversarmos. Gostou da surpresa?

Eu estava sem fala. A julgar pelas luzes acesas, imaginei que já devia ser noite.

— Espero que tenha tido bons sonhos, porque a realidade não será muito amigável para você. Não depois de tudo o que fez — disse um homem de máscara, enquanto o funcionário do hotel deixava o quarto.

— Ah, o meu sonho foi maravilhoso! — retruquei com toda a coragem que ainda me restava. — Sonhei que eu pegava dois malditos e estrangulava. Um era muitíssimo parecido com você, seu babaca desgraçado! — falei, olhando para o cara mascarado. — E o outro... Ah, olha a coincidência! O outro era você — eu disse, olhando diretamente para o psicopata do Adam.

Como era de se esperar, os dois gargalharam alto. Estavam tendo um ataque de risos daqueles.

— Você já juntou os pontos, Sophia Courtney? — perguntou o mascarado. — Não reconhece a minha voz?

Eu não conseguia pensar direito. Eles fizeram um trabalho muito bem bolado. Bolado para serem pegos! Quem em sã consciência faria isso? E depois de me dar falsas esperanças, depois de me verem feliz, ele foge com a ajuda de um policial corrupto.

Pensei em muitas coisas para responder, mas o que saiu da minha boca foi:

— O capitão vai pegar vocês! Podem ter certeza.

Eles caíram novamente na risada.

Se quisesse ser pego! Lembrei.

Eles não me fizeram mais perguntas, preferiram me deixar morrer sem respostas, com aquela maldita agonia que eu estava sentindo.

Muitas expectativas só geram grandes frustações. A frase ressoou na minha cabeça.

Eles estavam se divertindo muito com aquilo.

— Mascarado e Adam, eu tenho uma coisa para dizer a vocês — falei cinicamente. — Já que vou morrer mesmo...

— Diga, Sophia, ainda que eu tenha certeza de que você não tem nada a dizer que já não saibamos.

— Ah, Adam! Cuidado, porque você pode estar muito enganado a meu respeito. Pensando bem — eu disse, enquanto Adam preparava um veneno pra mim —, não vou contar nada a vocês! Quem sabe quando chegarem ao inferno a gente converse! — completei, tentando cruzar os braços. Havia esquecido, por um segundo, que eu estava amarrada.

— Não tem problema, Sophia. Com certeza, vamos nos encontrar lá, porque nós sabemos o que você fez nas férias de inverno — disse Adam.

Ele veio em minha direção, com uma faca de carne na mão esquerda. E na outra, trazia um papel preto.

— Se você está pensando que eu vou escrever alguma coisa, está muito enganado — falei, tentando manter a voz calma, como se eu não fosse morrer nos próximos minutos.

— Não se preocupe, *mon amour* — disse o mascarado.

Nessa altura, eu já não estava mais raciocinando direito. Não conseguia entender (não sabia se queria) mais nada. As coisas estavam acontecendo rápido demais.

— Este papel é para ele, não para você. Ele irá pegar o seu sangue e escrever a carta. Ou você acha que alguém vai saber que ele é meu cúmplice? É claro que não, tolinha! — Adam berrou.

Minutos depois, o mascarado segurou a minha mão com muita força e passou a faca na palma, com todo o cuidado.

Não consegui gritar, pois eles tinham colocado um pano na minha boca. Ainda assim, eu não sentia dor. A adrenalina do meu corpo devia estar no topo.

Em seguida, ele pegou um tipo de pena — *isso está ficando mais estranho a cada minuto* —, mergulhou no meu sangue e começou a escrever no papel preto...

Socorro! Ele está me obrigando a escrever está carta. É o sangue da moça. Ela ainda não está morta, mas ele está dizendo que é por pouco tempo.

Ele disse que vai fazer pior do que fez com a tal de Anne. Imagino que depois eu também serei morto.

Preciso dar um recado... Ele disse que junto com a carta vai mandar uma prova de "alguma coisa", mas não me disse o que é. Só sei que vai solucionar algum mistério.

Eu não consegui salvá-la.

Enquanto ele escrevia, lia cada palavra e ria muito. Quando terminou, estava apertando a barriga de tanto rir.

— Está sendo melhor do que o planejado.

Adam dobrou a carta com uma delicadeza fora do comum. Pega meu dedo e molhou no sangue, obrigando-me a selar a carta, igualzinho como fez com Anne. A carta dela também era uma grande mentira.

— Não foi a Anne que matou a sua namoradinha — eu disse, provocando-o, mas foi o que Adam respondeu que me assustou.

— Eu sei que não foi ela, Sophia. Sempre soube.

Eu estava perplexa. *Ele só pode estar blefando*, pensei, mas ele prosseguiu:

— Eu a obriguei a escrever aquilo porque sabia que o real assassino leria a carta, e, de uma forma ou de outra, ficaria aliviado. Assim, eu o deixaria vulnerável. Seria muito mais fácil pegá-lo como estou fazendo agora. — E terminou com aquela gargalhada que me fez arrepiar.

— Você pensa que sabe — eu disse, tremendo. — Se acha um espertão, mas não é.

Foi nessa hora que ele começou a gargalhar mais alto ainda.

Será que ninguém do hotel acharia isso estranho? Não viriam verificar se havia algum problema? Pensei.

Com o pano na boca, eu falava com dificuldade, mas Adam o retirou.

— Você não pode estar falando sério! — bradei, assim que me vi livre do pano. — Se achasse que não foi a Anne... Por que foi tão cruel com ela?

— Porque eu queria que você fosse atingida. Nunca me importei com ela, sempre soube que foi você! Por isso, você e Pierre nunca resolveram o caso, e ele foi posto como arquivo morto. Você sabia que providências deveria tomar e que provas não podia abandonar. Quem será que foi capaz disso tudo, hein? — ele disse, exaltando-se. — Pare com esse joguinho, Sophia! Eu estava com ela no dia do acidente com os seus pais. Sei muito bem que você fez aquilo com ela porque não suportaria viver sabendo que a culpada pela morte dos seus pais estava viva — disse Adam aos berros.

— Você está louco!

— Louco?! Ah, você não viu nada! Mas eu tenho uma pergunta para você: o que ganhou com a vingança? Trouxe os seus pais de volta? Está se sentindo melhor? — ele perguntou, ficando vermelho. — Eu sei que o que vou fazer não a trará de volta, mas, com certeza, você irá para o inferno!

— O que você quer que eu diga? Que sinto muito por tê-la matado? Pois bem, eu não vou dizer! Não sinto muito! Sei que os meus pais não voltarão nunca mais, mas ela teve o fim que mereceu e imagino que eu terei o mesmo.

Adam estampou um sorriso no rosto, mas eu não entendi de imediato o motivo.

— Eu não era nenhuma moça tão boa assim, antes dela, mas nunca havia feito nada grave, muito menos matar alguém. Sei que não agi bem e por isso vou ter o mesmo fim que ela. Talvez pior... Em parte, estou arrependida, mas fiz tudo isso por *justiça!* — Cuspi a última palavra, quem sabe ela se tornaria mais verdadeira.

— Você só está certa em parte: não vai ter o mesmo fim que ela. Pelo menos, não agora — disse Adam.

O mascarado observava tudo de longe, estava com aquele sorriso de canto. Pude perceber porque isso fazia com que a máscara ficasse torta.

Se eu não o estivesse odiando tanto...

18

Sophia Courtney

Bom, eu estou presa!

Com certeza, pagarei pelos meus erros. Aprendi a lição da forma mais dolorida, mas a culpa é minha disso estar acontecendo. Eu poderia colocar a culpa na Anne, a mulher que foi a culpada pela morte dos meus pais, mas a culpa não era dela.

Anne, a minha irmã, escolheu viver um dia após o outro. *Basta cada dia o seu mau,* ela sempre me dizia.

Isso prova que a maturidade não é um número. A sua idade não diz quem você é, as suas atitudes sim. Eu deveria ter dado o exemplo a ela, mas foi ao contrário. A minha irmã mais nova me ensinou uma lição e hoje sinto como se tivesse levado um belo tapa na cara. Se mamãe estivesse aqui, iria me dar um sermão. Tenho certeza de que ela está me olhando lá do céu, muito decepcionada, e isso me machuca muito.

Se eu tivesse outra chance, faria tudo diferente.

Espero pagar por meu crime. Não estou triste, nem com raiva por Adam ter feito tudo isso comigo e fugido em seguida. A vingança o levou a cometer uma atrocidade, assim como fez comigo. Mas ele levará essa culpa para a vida toda e eu também.

Não somos diferentes um do outro. Ela estará sempre conosco. As lembranças do erro nos perseguiram para todo o sempre, até o dia em que formos levados desse mundo.

Depois de ter sido condenada há cinquenta anos na prisão, as coisas só pioraram. Antes do julgamento fiquei presa na delegacia em que trabalhava e depois fui levada a uma penitenciária estadual.

Logo que cheguei, conheci várias mulheres assassinas e fiz muitas inimizades. Elas não gostaram da minha aparência, chamavam-me de patricinha da cadeia. Nesse meio tempo, eu não ligava mais para nada. Só ficava no meu canto, sozinha. Um triste fim.

Eu tinha uma vida maravilhosa, uma carreira brilhante, mas joguei tudo para o alto. Chutei o balde e cometi o meu pior erro: deixar-me guiar pela vingança. E para onde ela me levou? Para o fundo do poço. Eu cavei a minha própria cova. Mas o que eu esperava que fosse acontecer? Viver feliz para sempre, porque tinha vingado a morte dos meus pais? Vingança só causa dor e mais dor!

A constatação do que eu havia feito me levou a pensar que eu era a pior das mulheres ali. Todas cometeram atrocidades, algumas muito piores do que a minha, mas elas jamais deixaram uma pessoa que amava desprotegida como eu fiz com Anne.

Naquela mesma semana, uma guria arranjou briga comigo no refeitório. Eu não tinha feito nada!

Você deve estar pensando: *Ah, lá vem a Sophia de novo, fingindo ser santa*. Mas, desta vez, era verdade. Eu estava almoçando e ela jogou meu prato no chão. Fui me levantar para sair dali (já imaginava o que viria a seguir), mas era tarde demais. Ela começou a me bater. Eu nem sequer me defendia, achava que merecia aquilo tudo. A dor não era nada, comparado ao que eu senti quando vi a minha irmã jogada no chão do nosso antigo apartamento, toda ensanguentada.

Não demorou muito para que os guardas a tirassem de cima de mim e nos levassem — ao menos eu — para a solitária.

Trancafiaram-me naquela minúscula sela escura, sozinha. Passaram-se três dias, até que uma coisa sinistra aconteceu. Um policial me trouxe uma comida saborosa e disse que era da Eloise. Claro que eu comi na mesma hora! Não podemos dizer que a comida da prisão é das melhores. Eu já havia comido tudo, quando comecei a sentir algo estranho.

Logo em seguida, chegou outro policial. Ele me detestava. Entregou-me uma carta e enquanto eu a lia, minha garganta doía. Eu estava agonizando, aquela sensação percorria por todo o meu corpo. Podia se igualar a dor que senti quando vi Anne naquele estado, ou talvez pior, porque eu estava começando a entender do que se tratava.

Enquanto eu me contorcia lendo a carta, o policial me observava exibindo um sorriso. *Ele sabe o que está acontecendo,* pensei, quando finalmente cheguei ao fim da carta, que dizia:

...nesse momento, você já deve ter percebido do que se trata a sua deliciosa refeição. Lamento dizer que não foi sua querida Eloise quem a fez, mas eu mesmo, Adam. Imagino que não esteja com muita saudade de mim, mas saiba que eu daria muita grana pra te ver nessas condições. Daqui a alguns segundos o veneno terá percorrido todo o seu sangue, e o mais legal, ele não será detectado pelo legista. Felizmente, escolhi com muito cuidado o que colocaria na sua última refeição. Nós nos encontraremos no inferno, algum dia... Até lá, aproveite sem mim! Já estava na hora de você conhecê-lo.

Espero que esteja doendo muito!

Com todo amor, seu querido amigo, Adam.

19

Pierre Chermont

Quando chegamos ao hotel no Caribe, havia muitos policias. Eu não entendi de imediato do que se tratava. Estava muito longe de entender o que se passava ali. Foi tudo tão surreal...

— Meu Deus! O que está acontecendo aqui? — perguntei ao Sargento. — Está havendo um grande engano. Será que... POR FAVOR, ALGUÉM PODE ME EXPLICAR? — Precisei gritar para que alguém me respondesse.

Foi aí que olhei em seus olhos... Ela derramava muitas lágrimas. Não pude evitar e permiti que as que eu segurava há um bom tempo caíssem também.

— Sophia, minha querida, o que está acontecendo?

— Pierre, perdoe-me! Espero que me entenda, e que o que sente por mim jamais mude — ela respondeu, olhando-me de forma tristonha.

Eu não havia entendido até que... tudo começou a ficar escuro. Eu estava desmaiando? Havia sentido uma picada no pescoço. Depois disso, ouvi algo parecido com Sophia gritando.

— *NÃO!* — Ela dizia. — *ELE NÃO SABIA DE NADA!* POR FAVOR, CAPITÃO.

Capitão, pensei.

Acordei muitas horas depois, na sala dele. Aquele... Aquele monstro! Era a única coisa que vinha à minha cabeça no momento, ainda sem entender o que tinha acontecido.

Foi então que eu o vi.

— Capitão! — gritei. — O que você fez comigo?

Comecei a ter algumas lembranças. Sophia estava algemada, aquele medonho policial a estava levando a algum lugar... O sorriso tenebroso que ele trazia nos lábios me fez sentir enjoo, mas era tarde demais.

As coisas não podiam ficar piores, pensei.

Ingenuidade a minha. *Nada é tão ruim que não possa piorar.*

Quando reparei naquele rosto cínico me olhando, não consegui segurar a língua.

— O que você fez com ela, seu mentiroso? — Foi o melhor xingamento que me veio à cabeça, pois ela ainda doía.

— Você ainda não sabe o que a Sophia fez? — Apenas balancei a cabeça em negativa. Não sabia o que seria melhor dizer. — Ela assassinou aquela moça chamada Anne. Sim, ela foi capaz! Contratou um matador de aluguel. Ou você não se lembra do que ela lhe disse quando estava sendo levada?

"Pierre, perdoe-me! Espero que me entenda, e que o que sente por mim jamais mude." É claro que eu lembrava.

Quando ela disse essas palavras, eu não compreendi. Tudo estava confuso. Era difícil entender a verdade. Conhecemos as pessoas e, ao mesmo tempo, não a conhecemos tão bem assim. É claro que não contamos tudo a todos, seria impossível. Mas as pessoas que amamos são ainda mais difíceis de entender.

Ninguém disse que a vida seria fácil, mas é assim que tem que ser. Um dia de cada vez. Erramos porque queremos pular os degraus, e assim não rola! Não percebemos a negligência enquanto a praticamos.

Eu sempre soube que havia algum problema com Sophia, mas eu queria dar espaço a ela, respeitar sua privacidade, para que quando ela quisesse falar se abrisse comigo. Não impomos limites a nós mesmos, nem aos que amamos. Não que seja errado dar privacidade, mas existem horas em que a verdade precisa ser dita. Deveríamos impor limites e saber a hora de quebrá-los. Àquela hora da conversa séria...

Ela era apenas uma criança, uma menina indefesa que viveu desde cedo sem os pais. Isso não era uma desculpa, mas a sociedade influencia, sim! Claro, temos o poder da escolha e ela está em nossas mãos, mas o caminho do erro é sempre o mais fácil, e é aí que as coisas se complicam de verdade.

Eu gosto do famoso ditado: *tudo que vem fácil vai fácil.* É a lei do retorno. E agora? O que vai acontecer?

Agora vem o pagamento. Isso mesmo, tudo tem um preço. A única diferença é que se fizermos algo pequeno a consequência será pequena e se fizermos algo de ruim, grande mesmo, então a consequência também será grande.

É justamente nesse ponto que caímos, pois não temos a consciência delas antes que cheguem. O mundo não paga de bonzinho. Nele existem muitas pessoas perversas, pessoas de sangue frio. A carta de Anne, *selada com sangue,* nos mostrou a crueldade da vingança. Mostrou o preço que ela pagou pelo erro da Sophia. Talvez, a intenção de Sophia (se é que eu posso dizer isso) tenha sido boa, mas percebemos o estrago que a vingança trouxe a ela.

Sophia começou a pagar pelo seu erro com o assassinato da irmã, mas vai pagar ainda mais com seu próprio julgamento. E Adam, que estava pagando pelo assassinato de Anne Courtney, agora fugiu.

Você pode pensar que não é justo, mas... o que é justo?

20
Pierre Chermont

Estava sendo difícil acreditar que a Sophia mandou matar aquela jovem. O capitão disse que ela não merecia ser enterrada com seu distintivo. Aquilo me deixou transtornado...

Eloise chorou por vários dias. Não queria acreditar, tanto quanto eu, que Sophia tinha sido capaz daquele ato, por vingança, justiça ou sei lá o quê. Pouco importa o motivo! O que não entendo é como eu não percebi que havia algo de tão ruim com ela. Se bem que, como fora sempre tão quieta e reservada, era difícil supor que algo não ia bem.

Olhar para ela naquele caixão, com os olhos fechados e vestida com sua roupa preferida, de acordo com Eloise, abriu um buraco no meu peito. Eu não conseguia acreditar que ela tinha morrido de ataque cardíaco. Além de ser jovem, ela jamais apresentara nenhum tipo de problema no coração.

Depois de condenada, ela não passou mais de uma semana na prisão. E, de repente, tem um ataque fulminante?

Eu não me conformava com aquela situação, contudo, falar disso para Eloise fazia com que ela sofresse ainda mais. Desde sempre, ela deixou claro que não gostava do meu trabalho. Tinha medo de que algum dia um bandido fugisse e me matasse.

Como eles descobriram que ela havia mandado matar aquela mulher? Essa era a pergunta que eu me fazia. *Do nada ela resolveu confessar, sabendo que isso a levaria para a cadeia?*

Essa confissão e a morte repentina estavam me deixando maluco. Agora, essa parenta distante vinha a mim para olhar as coisas dela e saber se eu queria guardar algo. Era tudo doloroso demais. Ver a minha parceira sendo enterrada, sabendo que eu não veria mais aqueles olhos brilhantes prontos para resolver um caso, partia meu coração.

No instante em que entrei na minha casa, no quarto de Sophia, e olhei para suas coisas, permiti-me fraquejar por um minuto. Olhava a mobília ao redor, a sua amada coleção de livros de todos os tipos, suas roupas...

Abri o armário e seu distintivo estava lá, ao lado dos óculos e da jaqueta de couro preferida dela.

Dei um soco e uma parte do armário cedeu, não abriu normalmente, mas revelou um tipo de porta *secreta*.

Coloquei a mão lá dentro e retirei um notebook surrado.

Por que ela precisaria de outro notebook? E por que estaria escondido? Será que ela estava trabalhando sozinha em algum caso e corria risco de vida?

Liguei o notebook e a prova que eu precisava para crer que ela não morrera de ataque cardíaco apareceu...

AGRADECIMENTOS

Está é a minha parte preferida de escrever um livro, pois significa que eu consegui, que terminei meu projeto. Aleluia! Obrigada, Deus, por mais esta conquista! Sem a Sua direção, este livro jamais seria escrito. Eu jamais conseguiria sem a Sua sabedoria.

Obrigada, Thiago Ducas, meu amor, marido e companheiro! És meu melhor amigo. Obrigada por acreditar na minha história e no meu potencial! Obrigada por ser esse parceiro incrível!

Meu eterno agradecimento ao melhor casal: Anderson Porto e Márcia Porto. Obrigada por serem esses amigos maravilhosos que vocês são! Sou grata a Deus, por ter colocado pessoas tão abençoadas na minha vida e na do Thiago. Vocês são muito importantes para nós. Amo vocês!

Meus leitores queridos, quero que conheçam o trabalho dessa mulher virtuosa. Conheçam o instagram da Márcia @marcinhapersonalorganizer, ela é uma excelente profissional. No decorrer do processo de escrita deste livro, que você acabou de ler, ela me ajudou com a organização da minha casa, e isto me fez um bem danado, pois foi o momento em que eu me tornei uma pessoa mais produtiva com minha escrita.

Erica Rodrigues, minha leitora beta, obrigada querida pelas suas sugestões para o meu projeto. Obrigada pelos puxões de orelha e pelos conselhos! Obrigada por ser minha amiga! Obrigada por ser essa menina de ouro que você é. Amo você!

Agora meus agradecimentos vão para uma pessoa superespecial, que eu ainda não tive o prazer de conhecer pessoalmente. Minha amiga virtual, Beka Assis, minha leitora crítica e a responsável por eu ser publicada por essa editora. Obrigada pela sua ajuda e sugestão com a escolha da minha editora. O mérito é seu, querida. Obrigada por fazer parte do processo deste livro! Obrigada por me ajudar a melhorá-lo! Obrigada pelas muitas conversas e pelas reuniões edificantes! Obrigada por me ajudar com o querido português haha. Você tem um talento magnifico, querida. Amo você e espero conhecê-la pessoalmente em breve.

Gostaria de agradecer à minha editora, Catia Mourão, pela paciência e pelo ótimo trabalho que você e a equipe da Ler Editorial fizeram.

Por último, mas não menos importante, meus agradecimentos vão para um homem engraçado, querido e corresponsável por este livro ter sido escrito. Wilian Pokomaier, o primo que me *desafiou* a escrever um livro policial. E cá estamos nós, com o livro concluído e publicado. Obrigada primo, pela motivação e auxílio! Obrigada pelo papo cabeça e por acreditar que eu conseguiria vencer todas as lutas! Sou grata a Deus pela sua amizade. Obrigada por tudo! Tenho um enorme carinho por ti, Poko.

Mariane Ducas

VISITE AS PÁGINAS OFICIAIS

www.lereditorial.com

twitter@Ler_Editorial

www.facebook.com/lereditorial

www.instagram.com/lereditorial

pinterest.com/lereditorial/